DIÁRIO DE INVERNO

A marca FSC® é a garantia de que a madeira utilizada na fabricação do papel deste livro provém de florestas que foram gerenciadas de maneira ambientalmente correta, socialmente justa e economicamente viável, além de outras fontes de origem controlada.

PAUL AUSTER

Diário de inverno

Tradução
Paulo Henriques Britto

1ª *reimpressão*

Copyright © 2012 by Paul Auster

Grafia atualizada segundo o Acordo Ortográfico da Língua Portuguesa de 1990, que entrou em vigor no Brasil em 2009.

Título original
Winter Journal

Tradução do poema "Le Balcon", de Baudelaire (página 56)
Ivan Junqueira (Ed. Nova Fronteira)

Capa
Rita da Costa Aguiar

Preparação
Paula Colonelli

Revisão
Thaís Totino Richter
Marina Nogueira

Dados Internacionais de Catalogação na Publicação (CIP)
(Câmara Brasileira do Livro, SP, Brasil)

Auster, Paul
    Diário de inverno / Paul Auster ; tradução Paulo Henriques Britto.
— 1ª ed. — São Paulo : Companhia das Letras, 2014.

    Título original: Winter Journal.
    ISBN 978-85-359-2471-8

    1. Ficção norte-americana I. Título.

14-05943   CDD-813

Índice para catálogo sistemático:
1. Ficção : Literatura norte-americana   813

[2015]
Todos os direitos desta edição reservados à
EDITORA SCHWARCZ S.A.
Rua Bandeira Paulista, 702, cj. 32
04532-002 — São Paulo — SP
Telefone: (11) 3707-3500
Fax: (11) 3707-3501
www.companhiadasletras.com.br
www.blogdacompanhia.com.br

DIÁRIO DE INVERNO

Você acha que nunca vai acontecer com você, que não pode acontecer com você, que você é a única pessoa no mundo com quem nenhuma dessas coisas jamais há de acontecer, e então, uma por uma, todas elas começam a acontecer com você, do mesmo modo como acontecem com todas as outras pessoas.

Seus pés descalços no assoalho frio quando você se levanta da cama e anda até a janela. Você tem seis anos de idade. Lá fora está nevando, e os galhos das árvores do quintal estão embranquecendo.

Fale agora antes que seja tarde demais, e torça para que você possa continuar falando até não haver mais nada a ser dito. O tempo está se esgotando, no final das contas. Talvez seja melhor deixar de lado as suas histórias por ora e tentar examinar a sensação de viver dentro deste corpo, desde o primeiro dia da sua vida do qual você se lembra até hoje. Um catálogo de dados sensoriais. O que poderia ser denominado *fenomenologia da respiração*.

Você tem dez anos de idade, e o ar de verão está quente, um calor opressivo, tão úmido e desconfortável que até mesmo agora, sentado à sombra das árvores do quintal, você sente o suor se formando na testa.

É um fato incontestável que você não é mais jovem. Dentro de um mês você vai completar sessenta e quatro anos de idade, e embora isso não seja uma velhice extrema, não seja o que as pessoas chamam de uma idade avançada, não há como não pensar em todas aquelas outras pessoas que não conseguiram chegar até onde você chegou. Este é um exemplo das diversas coisas que nunca poderiam acontecer, mas que na verdade aconteceram.

O vento no seu rosto na nevasca da semana passada. A terrível sensação cortante do frio, e você lá fora, nas ruas vazias, perguntando a si próprio o que o teria levado a sair de casa no meio de uma tempestade feroz, e no entanto, apesar de ter de se esforçar para manter o equilíbrio, havia uma sensação revigorante naquele vento, a alegria de ver aquelas ruas tão conhecidas transformadas num torvelinho de neve branca.

Prazeres físicos e dores físicas. Os prazeres do sexo acima de tudo, mas também os prazeres de comer e beber, de deitar-se nu numa banheira de água quente, de coçar uma coceira, de espirrar e peidar, de ficar uma hora a mais na cama, de virar o rosto para o sol numa tarde amena de final de primavera ou início de verão e sentir o calor penetrando na pele. Exemplos incontáveis, não há um dia que tenha se passado sem um momento ou mais de um momento de prazer, e no entanto as dores são sem dúvida mais persistentes e intratáveis, e em uma ocasião ou outra quase todas as partes do seu corpo já sofreram algum ataque.

Olhos e ouvidos, cabeça e pescoço, ombros e costas, braços e pernas, garganta e estômago, tornozelos e pés, para não falar na bolha imensa que uma vez brotou na sua nádega esquerda, a qual o médico deu o nome de *quisto*, que aos seus ouvidos pareceu o nome de uma doença medieval, e que o impediu de se sentar em cadeiras por uma semana.

A proximidade de seu pequeno corpo em relação ao chão, o corpo que lhe pertencia quando você tinha três, quatro anos, isto é, a distância curta entre seus pés e a cabeça, e como as coisas a que você agora não dá mais atenção atraíam seu interesse constantemente naquele tempo: o mundo minúsculo das formigas e moedas perdidas, dos galhos caídos e chapinhas de garrafas amassadas, dos dentes-de-leão e trevos. Mas especialmente as formigas. É delas que você se lembra melhor. Exércitos de formigas a entrar e sair de morros de terra.

Você tem cinco anos de idade, está de cócoras junto a um formigueiro no quintal, examinando com atenção as idas e vindas de suas amiguinhas de seis patas. Sem que você o veja nem o ouça, o seu vizinho de três anos se coloca atrás de você e acerta a sua cabeça com um ancinho de brinquedo. Os dentes do anci-

9

nho ferem seu couro cabeludo, o sangue escorre por entre seus cabelos e desce a sua nuca, você volta para casa correndo aos gritos, e a sua avó cuida das suas feridas.

Palavras da sua avó para sua mãe: "O seu pai seria um homem maravilhoso — se fosse diferente".

Hoje de manhã, ao acordar em mais uma escura madrugada de janeiro, uma luminosidade cinzenta e esbatida penetrando o quarto, lá está o rosto da sua mulher virado para o seu, os olhos ainda fechados, ainda imersa no sono, as cobertas puxadas até a altura do pescoço, sendo a cabeça a única parte de seu corpo que está visível, e você se admira ao ver como está bela, como parece jovem, mesmo agora, trinta anos depois da primeira vez que você dormiu com ela, depois de trinta anos vivendo juntos sob o mesmo teto e dormindo na mesma cama.

Hoje continua nevando, e ao se levantar da cama e ir até a janela você vê que os galhos das árvores do jardim dos fundos estão embranquecendo. Você tem sessenta e três anos. Você se dá conta de que quase não houve nenhum momento durante a longa jornada da infância até agora em que você não estivesse apaixonado. Trinta anos de casado, sim, mas nos trinta anos anteriores, quantas paixonites e flertes, quantos ardores e conquistas, quantos delírios e surtos enlouquecidos de desejo? Desde os primórdios da sua vida consciente, você é um escravo voluntário de Eros. As meninas que amou quando menino, as mulheres que amou como homem, uma diferente da outra, umas gorduchas e outras esguias, umas baixas e outras altas, umas livrescas e outras atléticas, umas melancólicas e outras sociáveis, umas brancas, outras negras e outras asiáticas, nenhum detalhe de superfície jamais fez diferença para você, só contava a luz interior que você percebesse nela, a faísca de singularidade, a chama de identidade revelada, e aquela luz fazia com que ela lhe parecesse bela, mesmo que os outros fossem cegos para a beleza que você via, e então você ardia para estar com ela, para estar perto dela, pois a beleza feminina é algo a que você jamais pôde resistir. Desde os primeiros dias na escola, no jardim de infância em que você se apaixonou por aquela menina com um rabo de cavalo louro comprido, e quantas vezes você não foi castigado pela srta. Sandquist por ter escapulido com a menininha que era a sua paixão do momento, os dois sendo encontrados juntos em algum canto fazendo travessuras, mas esses castigos não tinham importância, pois você estava apaixonado, e você já era refém da paixão nesse tempo, tal como continua a ser refém da paixão ainda hoje.

O levantamento das suas cicatrizes, em particular as do seu rosto, que você vê todas as manhãs quando se olha no espelho do banheiro para fazer a barba ou pentear o cabelo. Você raramente pensa nelas, mas sempre que o faz, compreende que elas são marcas da vida, que aquelas linhas irregulares traçadas na pele do seu rosto são letras do alfabeto secreto que conta a história de quem você é, pois cada cicatriz é o vestígio de um choque inesperado com o mundo — ou seja, um acidente, ou alguma coisa que não precisava ter acontecido, já que por definição um acidente é algo que não precisa acontecer. Fatos contingentes em oposição a fatos necessários, e a consciência, enquanto você se olha no espelho nesta manhã, de que toda a vida é contingente, tirando o único fato necessário de que, mais cedo ou mais tarde, ela chegará ao fim.

Você tem três anos e meio, e a sua mãe, aos vinte e cinco anos, grávida, levou-o com ela para fazer compras numa loja de departamentos no centro de Newark. Ela está acompanhada por uma amiga, mãe de um menino que também tem três anos e meio. A certa altura, você e seu amiguinho se separam das mães e começam a correr pela loja. É um espaço aberto imenso, sem dúvida o maior aposento em que você já pôs os pés, e é uma sensação e tanto poder correr como um louco por essa gigantesca arena fechada. Por fim, você e o outro menino caem de barriga no chão e começam a deslizar pela superfície lisa, como se andassem de trenó sem trenó, e a brincadeira é tão deliciosa, proporcionando um prazer tão extático, que você se torna cada vez mais afoito, cada vez mais ousado no que está disposto a tentar. Você chega a um trecho da loja que está em construção ou em reforma, e sem se dar ao trabalho de ver que ali pode haver obstáculos, joga-se de barriga no chão de novo e sai deslizando pela superfície lisa como vidro até se dar conta de que está seguindo diretamente a uma bancada de carpinteiro de madeira. Com um pequeno movimento de seu corpinho, você acha que pode evitar o choque com a perna da mesa que se aproxima rapidamente, mas não se dá conta, naquela fração de segundo em que é necessário mudar o rumo, que há um prego saindo da perna da mesa, um prego comprido, tão baixo que está à altura do seu rosto, e antes que você tenha tempo de se deter a sua face esquerda é perfurada pelo prego quando você passa por ele a toda a velocidade. Metade do seu rosto é rasgada. Sessenta anos depois, você não se lembra mais do acidente. Lembra-se da correria e da brincadeira de deslizar no chão, mas não se lembra da dor, não se lembra do sangue, não se lembra de ser levado às pressas para o hospital, nem do médico que costurou o seu rosto. Ele fez um serviço excelente, sua mãe sempre dizia, e como jamais se recuperou do trauma de ver seu primogênito com meio rosto rasgado, ela dizia isso repetidamente: algo a ver com um método sutil de sutura dupla que minimizou o dano e impediu que você ficasse desfigurado para o resto da vida. Você poderia ter perdido o olho, ela lhe dizia — ou, num tom ainda mais dramático, podia ter morrido. Sem dúvida ela tinha razão. A cicatriz foi ficando mais e mais fraca com o passar dos anos, mas continua ali, quando você procura por ela, e você vai levar este emblema da sua boa sorte (o olho preservado! a vida preservada!) até a morte.

Cicatrizes partindo as sobrancelhas, uma à esquerda e outra à direita, quase perfeitamente simétricas, a primeira consequência de uma vez em que você esbarrou a toda a velocidade numa parede de tijolo durante uma partida de queimada numa aula de educação física do curso primário (o olho roxo inchado enorme que você exibiu durante alguns dias, que o fazia pensar numa foto do boxeador Gene Fullmer, derrotado numa luta decisiva do campeonato por Sugar Ray Robinson mais ou menos na mesma época), e a segunda, aos vinte e poucos anos, quando você tentou fazer uma bandeja numa partida de basquete ao ar livre, levou uma falta por trás e foi de cara no poste de metal que sustentava a cesta. Outra cicatriz no queixo, origem desconhecida. Provavelmente vestígio de um tombo levado na primeira infância, na calçada ou por cima de uma pedra que abriu sua carne e deixou uma marca, a qual ainda pode ser percebida toda vez que você faz a barba de manhã. Não há nenhuma história acompanhando esta cicatriz, sua mãe nunca falou sobre ela (pelo menos não que você lembre), e parece-lhe estranho, se não intrigante, que essa linha permanente tenha sido gravada no seu queixo por algo que só pode ser denominado *uma mão invisível*, que seu corpo tenha sido palco de acontecimentos que foram apagados da história.

Estamos em junho de 1959. Você tem doze anos, e dentro de uma semana sua turma da sexta série vai concluir o curso primário, no qual você foi matriculado aos cinco anos. É um dia magnífico, um final de primavera em sua encarnação mais luminosa, o sol brilhando num céu azul sem nuvens, quente mas não quente demais, baixa umidade, uma brisa suave percorrendo o ar e roçando seu rosto, pescoço e braços nus. Terminadas as aulas naquele dia, você e um grupo de amigos vão até o Grove Park para jogar uma partida improvisada de beisebol. O Grove Park não é exatamente um parque, é mais uma espécie de rossio, um retângulo grande de grama bem cuidada cercado de casas nos quatro lados, um lugar agradável, um dos mais belos espaços públicos na cidadezinha de Nova Jersey onde você mora, e você e seus amigos vêm muito aqui para jogar beisebol depois das aulas, pois o beisebol é a coisa que todos vocês mais amam, e vocês ficam jogando por horas a fio sem jamais se cansar. Não há nenhum adulto por perto. Vocês criam suas próprias regras e resolvem as desavenças por conta própria — normalmente com palavras, de vez em quando com socos. Mais de cinquenta anos depois, você não lembra nada a respeito da partida que foi jogada naquela tarde, porém lembra apenas o que se segue: o jogo terminou, e você está parado, sozinho, no meio do campo, jogando consigo próprio, ou seja, lançando uma bola lá no alto e acompanhando sua subida e descida até que ela caia dentro da sua luva, quando então você a lança de novo imediatamente, e cada vez que você joga a bola para o alto ela sobe mais do que da vez anterior, e depois de alguns lances a bola está atingindo altitudes inéditas, ficando vários segundos no ar, a bola branca subindo contra o fundo do céu azul límpido, a bola branca caindo dentro da sua luva, e todo o seu ser está envolvido nessa atividade besta, sua concentração é total, agora nada existe além da bola, do céu e da sua luva, o que significa que seu rosto está virado para o alto, que você está olhando para cima acompanhando a trajetória da bola, e portanto não tem mais consciência do que está acontecendo no chão, e o que acontece no chão enquanto você olha para o céu é alguma coisa ou alguém que surge inesperadamente e atinge você, e o impacto é tão súbito, tão violento, tão avassalador que você imediatamente cai no chão, tendo a impressão de que foi derrubado por um tanque de guerra. O alvo do golpe era a sua cabeça, a testa em particular, mas também o seu torso foi atingido, e caído no chão, arquejante, aturdido e quase desmaiado, você vê o sangue escorrendo da sua testa, escorrendo, não, jorrando, e assim você tira a camiseta branca e a aperta contra o lugar de onde o sangue esguicha, e numa questão de segundos a camiseta branca fica inteiramente vermelha. Os outros garotos estão alarmados. Eles vêm correndo em sua direção e tentam ajudá-lo, e só então você entende o que aconteceu. Ao que parece, um membro do seu grupo, um idiota desajeitado e de bom coração chamado B. T. (você se lembra do nome dele, mas não vai divulgá-lo aqui, pois não quer constrangê-lo — se é que ele ainda está vivo), de tão impressionado com as bolas estratosféricas que você estava lançando, enfiou *na cabeça dele* que também ia participar do jogo, e sem se dar ao trabalho de avisá-lo de que também ele ia tentar pegar as bolas que você estava lançando, começou a correr em direção à bola que caía, a cabeça virada para cima, é claro, e a boca escancarada, típica do seu jeito aparvalhado (onde já se viu uma pessoa correr com a boca escancarada?), e quando ele esbarrou em você no instante seguinte, os dentes daquela boca aberta cravaram *na sua cabeça*. Daí o sangue que agora está jorrando, daí a profundeza do corte na pele acima do seu olho esquerdo. Por sorte, o consultório do médico da sua família fica do outro lado da rua, numa das casas que formam o perímetro do Grove Park. Os meninos resolvem levá-lo para lá imediatamente, e assim você atravessa o parque apertando a camiseta sangrenta contra a cabeça na companhia dos seus amigos, talvez quatro, talvez seis, você não lembra mais, e todos entram de repente no consultório do dr. Kohn. (Você não esqueceu o nome dele, tal como não esqueceu o nome da sua professora do jardim de infância, a srta. Sandquist, nem o nome dos outros professores que teve quando menino.) A recepcionista diz a você e seus amigos que o dr. Kohn está atendendo uma paciente no momento, e antes que ela tenha tempo de se levantar da cadeira para dizer ao médico que surgiu uma emergência, você e seus amigos entram na sala de consulta sem se dar ao trabalho de bater à porta. Encontram o dr. Kohn conversando com uma mulher de meia-idade, gorducha, sentada no leito trajando apenas sutiã e anágua. A mulher solta uma intervenção de espanto, mas assim que o dr. Kohn vê o sangue que jorra da sua testa, ele diz à mulher que se vista e vá embora, manda os seus amigos caírem fora e mais que depressa começa a costurar o corte. É um procedimento doloroso, pois não há tempo de dar anestesia, mas você faz o possível para não urrar enquanto ele dá os pontos, furando sua pele com a agulha. O serviço que ele faz talvez não seja tão brilhante quanto o que foi executado pelo médico que costurou o seu rosto em 1950, mas apesar disso é eficaz, porque você não morre de hemorragia e não tem mais um buraco na cabeça. Alguns dias depois, você e seus colegas da sexta série participam da cerimônia de formatura do curso primário. Você foi escolhido para ser o porta-bandeira, o que significa que você precisa atravessar o auditório carregando a bandeira dos Estados Unidos para em seguida fixá-la no palco. Sua cabeça está envolta num curativo de gaze branca, e como o sangue de vez em quando ainda vaza do lugar onde você levou os pontos, a gaze branca ostenta uma mancha vermelha grande. Depois da cerimônia, sua mãe diz que, ao ver você indo em direção ao palco com a bandeira, ela lembrou-se de um quadro que

16

mostrava um herói ferido na Guerra da Independência. Sabe, diz ela, é igualzinho a O *espírito de 76*.

O que pressiona você, o que sempre pressionou você: o ar livre, isto é, o ar — ou, mais precisamente, o seu corpo no ar a sua volta. As solas dos seus pés plantadas no chão, mas todo o resto do corpo exposto ao ar, e é aí que a história começa, no seu corpo, e tudo vai terminar no corpo também. Por ora, você está pensando no vento. Mais tarde, se der tempo, vai pensar no calor e no frio, nas infinitas variedades de chuva, nos nevoeiros que você atravessou trôpego como se fosse cego, no tamborilar enlouquecido, como o disparo de uma metralhadora, das pedras de granizo batendo nas telhas da casa em Var. Mas é o vento que prende a sua atenção agora, pois o ar quase nunca está parado, e além da respiração quase imperceptível do nada que por vezes cerca você, há também brisas e virações suaves, súbitas rajadas e borrascas, o mistral que soprava por três dias naquela casa com telhado de telhas, a nordestada que varre a costa atlântica, os vendavais e furacões, os remoinhos. E lá está você, vinte e um anos atrás, caminhando pelas ruas de Amsterdam, estado de Nova York, a caminho de um evento que já foi cancelado sem que você ficasse sabendo, tentando cumprir o compromisso que você assumiu, durante a tempestade que mais tarde será chamada de *tempestade do século*, um furacão tão devastador que uma hora depois da sua decisão teimosa e imprudente de sair à rua, árvores enormes serão arrancadas do chão em todos os cantos da cidade, chaminés desabarão e carros estacionados serão levantados e arrastados pelo ar. Você caminha com o rosto contra o vento, tentando avançar pela calçada, mas embora tente seguir em direção ao destino pretendido, você não consegue se mexer. O vento o empurra com força, e por um minuto e meio você fica imobilizado.

* * *

Suas mãos na Ha'penny Bridge em Dublin, numa noite há treze janeiros, um dia depois de mais um furacão com ventos de cento e cinquenta quilômetros por hora, a última noite do filme que você está dirigindo há dois meses, a última cena, a última tomada de cena, é só fixar a câmara na mão enluvada da sua protagonista no momento em que ela gira o pulso e deixa cair uma pedrinha nas águas do rio Liffey. Não há nada demais, nenhuma tomada de cena exigiu menos esforço e engenho do que essa em todo o filme, e no entanto lá está você, naquela noite úmida, escura e ventosa, com o cansaço acumulado de nove semanas de trabalho duro numa produção marcada por uma infinidade de problemas (problemas de orçamento, problemas sindicais, problemas de locação, problemas meteorológicos), pesando sete quilos a menos do que quando começou a filmagem, e depois de horas parado na ponte com a sua equipe, o ar gélido e úmido da Irlanda infiltrou-se em seus ossos, e chega um momento, logo antes da última tomada de cena, em que você se dá conta de que suas mãos estão congeladas, que você não consegue mexer os dedos, que suas mãos se transformaram em duas pedras de gelo. Por que você não está usando luvas?, você se pergunta, mas não consegue encontrar a resposta, pois a ideia das luvas sequer lhe ocorreu quando você saiu do hotel e veio até a ponte. Você filma a última tomada de cena mais uma vez, e então você e seu produtor, juntamente com a atriz, o namorado da atriz e vários membros da equipe, entram num bar próximo dali para se aquecer e comemorar o fim das filmagens. O bar está muito cheio, abarrotado de gente, uma câmara de ecos cheia de gente a gritar, a gargalhar, zanzando de um lado para o outro num estado de júbilo apocalíptico, porém uma mesa foi reservada para você e seus amigos, e assim você se senta à mesa, e no momento em que seu corpo entra em contato com a cadeira você se dá conta de que está exaurido, esvaziado de toda energia física, toda energia emocional, completamente exausto de uma maneira que você jamais imaginaria ser possível, tão arrasado que tem a impressão de que a qualquer momento pode começar a chorar. Você pede um uísque, e quando segura o copo e o leva aos lábios percebe com alívio que seus dedos recuperaram os movimentos. Pede o segundo uísque, depois o terceiro, depois um quarto, e de repente adormece. Apesar de toda a barulheira a sua volta, você consegue continuar dormindo até que o seu produtor, que é um bom sujeito, o põe de pé e meio que o arrasta, meio que o carrega até o seu hotel.

É, você bebe demais e fuma demais, você perdeu dentes e não se deu ao trabalho de recolocá-los, a sua dieta não está em conformidade com os preceitos de nutrição da atualidade, mas se você evita a maior parte dos legumes é simplesmente porque não gosta deles, e é difícil, senão impossível, comer algo de que você não gosta. Você sabe que sua mulher se preocupa com você, principalmente por causa da bebida e do fumo, mas felizmente, até agora, nenhuma radiografia revelou problema algum nos seus pulmões, nenhum exame de sangue revelou problema algum no seu fígado, e assim você continua com seus péssimos hábitos, sabendo muito bem que mais dia, menos dia, eles vão lhe fazer muito mal, mas quanto mais velho você fica parece menos provável que algum dia tenha a força de vontade ou a coragem necessária para abandonar seus amados charutinhos e suas frequentes taças de vinho, que lhe vêm dando tanto prazer ao longo dos anos, e às vezes você pensa que se suprimisse essas coisas da sua vida a esta altura, seu corpo simplesmente desmontaria, seu organismo deixaria de funcionar. Sem dúvida, você é uma pessoa imperfeita e machucada, um homem que tem uma ferida aberta dentro de si desde o início (senão, porque teria passado toda a vida adulta sangrando palavras numa página?), e os benefícios que lhe proporcionam o álcool e o tabaco lhe servem de muletas para manter o seu ser aleijado de pé e se deslocando pelo mundo afora. *Automedicação*, como diz sua mulher. Ao contrário da mãe de sua mãe, ela não quer que você seja diferente. Sua mulher tolera as suas fraquezas e não fica passando sermões nem ralhando com você, e se ela se preocupa, é só porque quer que você não morra nunca. Você enumera as razões que o levam a mantê-la junto de si há tantos anos, e certamente essa é uma delas, uma das estrelas brilhantes na vasta constelação do amor duradouro.

Nem é preciso dizer que você tosse, especialmente à noite, quando seu corpo está em posição horizontal, e naquelas noites em que as vias respiratórias estão excessivamente entupidas, você se levanta da cama, vai para outro cômodo e tosse como um possesso até conseguir pôr para fora toda a catarreira. Segundo seu amigo Spiegelman (o fumante mais entusiástico que você conhece), sempre que alguém lhe pergunta por que ele fuma, ele dá a mesma resposta: "Porque gosto de tossir".

1952. Cinco anos de idade, nu na banheira, sozinho, você já está grande o bastante para tomar banho sem ajuda, e está deitado naquela água quente quando seu pênis de repente fica em posição de sentido, aparecendo acima da linha-d'água. Até então você só viu o seu pênis de cima, você em pé, olhando para baixo, mas deste novo ponto de observação, mais ou menos à altura de seus olhos, ocorre-lhe que a ponta de seu órgão viril circuncidado tem uma semelhança curiosa com um capacete. Um capacete antiquado, como aqueles usados pelos bombeiros no final do século XIX. Essa revelação o agrada, pois neste momento da sua vida sua maior ambição é tornar-se bombeiro quando crescer, pois para você a tarefa do bombeiro é a mais heroica que há neste mundo (e sem dúvida é mesmo), e assim sendo é muito apropriado que você tenha um capacete de bombeiro em miniatura na sua própria pessoa, e mais ainda, naquele trecho do seu corpo que mais parece, e funciona como, uma mangueira.

O número incontável de vezes que você se viu apertado no decorrer da vida, os momentos de desespero em que sentiu uma vontade urgente, avassaladora, de esvaziar a bexiga e não havia nenhuma privada por perto, as vezes em que se viu preso no trânsito, por exemplo, ou dentro do metrô parado entre duas estações, e a agonia de obrigar-se a *se segurar*. Esse é o dilema universal que ninguém jamais comenta, mas pelo qual todo mundo já passou em uma ou outra ocasião, todo mundo já teve essa experiência, e embora não haja exemplo de sofrimento humano mais cômico do que o de uma bexiga explodindo, você tende a não rir desses incidentes enquanto não consegue se aliviar — pois quem, tendo mais de três anos de idade, gostaria de mijar nas calças em público? É por isso que você jamais esquecerá estas palavras, que foram as últimas palavras ditas a um amigo pelo pai dele, no leito de morte: "Não esqueça, Charlie", disse ele, "nunca perca uma oportunidade de mijar". Assim é que a sabedoria dos tempos passa de uma geração para outra.

Mais uma vez, estamos em 1952, você no banco de trás do carro da família, a De Soto 1950 que seu pai trouxe para casa no dia em que nasceu a sua irmã. Sua mãe está dirigindo, e vocês estão na rua há algum tempo, vindo de um lugar que você não lembra mais qual era, mas estão voltando, estão a no máximo dez ou quinze minutos de casa, e já há algum tempo você está com vontade de mijar, a pressão na sua bexiga não para de aumentar, e agora você está se contorcendo no banco de trás, cruzando as pernas, apertando a mão contra a virilha, sem saber se vai conseguir aguentar por muito tempo. Você diz a sua mãe que está apertado, e ela pergunta se dá para aguentar mais uns dez minutos. Não, você responde, não vai conseguir. Neste caso, diz ela, como não há nenhum lugar para parar entre aqui e a nossa casa, o jeito é fazer nas calças. Isso é uma ideia tão radical para você, uma tamanha traição do que lhe parece ser sua independência viril, tão duramente conquistada, que você quase não consegue acreditar que ela disse isso mesmo. Fazer nas calças?, você pergunta. Isso, nas calças, ela responde. O que é que tem? A gente põe sua roupa para lavar assim que chegar em casa. E assim, com apoio integral e explícito da sua mãe, você faz xixi nas calças pela última vez.

Cinquenta anos depois, você está em outro carro, dessa vez alugado, porque você não tem carro, um Toyota Corolla novinho em folha que você está dirigindo há três horas, voltando de Connecticut para a sua casa no Brooklyn. Estamos em agosto de 2002. Você tem cinquenta e cinco anos e dirige desde os dezessete, sempre com perícia e confiança, é conhecido por todos que já andaram de carro com você como *um bom motorista*, que não sofreu nenhum acidente, apenas arranhou uma única vez o para--choque, em quase quarenta anos. Sua mulher está no banco da frente, a sua direita, e no banco de trás está a sua filha de quinze anos (que acabou de terminar um curso de verão, um curso de formação de atores, numa escola em Connecticut), esparramada, dormindo, sobre as colchas e travesseiros que lhe serviram de cama no último mês. Também está dormindo na parte de trás do carro o seu cachorro, o vira-lata peludo que você e sua filha pegaram na rua e trouxeram para casa há oito anos, ao qual você deu o nome de Jack (homenagem a Jack Wilton, protagonista de *The Unfortunate Traveller*, de Thomas Nashe), e que desde então é um membro da família amado por todos, apesar de ser um tanto amalucado. Sua mulher, que se preocupa com muitas coisas, jamais se preocupou com sua perícia ao volante, e na verdade mais de uma vez o elogiou pela maneira como você consegue se sair bem em todos os tipos de tráfego: por saber ultrapassar outros carros em estradas de várias pistas, por exemplo, ou por nunca se perder no traçado confuso das ruas da cidade, ou por andar sem problemas nas tortuosas estradas secundárias do interior. Hoje, porém, ela percebe que alguma coisa não está certa, que você não está bem concentrado, que o seu *timing* está ligeiramente retardado, e mais de uma vez ela já lhe disse para prestar atenção no que você está fazendo. A essa altura, você já devia ter aprendido a não duvidar da sabedoria da sua mulher, pois ela possui uma capacidade insólita de ler a mente das outras pessoas, de enxergar dentro da alma dos outros, farejar as correntezas subterrâneas em qualquer situação humana, e vez após vez você ficou admirado com a precisão dos instintos dela, mas neste dia em particular a ansiedade dela é tão intensa que começa a dar nos seus nervos. Você não é famoso por ser *bom motorista?*, você diz a ela. Alguma vez já sofreu um acidente? Você faria alguma coisa que colocasse em risco a vida das pessoas que mais ama neste mundo? Não, ela responde, é claro que não, ela não sabe por que está desse jeito, e chegando ao pedágio da Triborough Bridge você lhe diz: Pronto, estamos em Nova York, já quase chegamos em casa, e depois disso ela promete que não vai dizer mais nada sobre a sua maneira de dirigir. Mas alguma coisa está errada, ainda que você não esteja disposto a admitir, pois estamos em 2002, e se tantas coisas lhe aconteceram nesse ano de surpresas desagradáveis, por que não poderia acontecer de a sua perícia ao volante deixá-lo na mão de modo súbito e inexplicável? O pior de tudo foi a morte da sua mãe em meados de maio (infarto), que o deixou aturdido não porque você não soubesse que pessoas de setenta e sete anos morrem sem aviso, mas porque ela estava aparentemente com saúde, e exatamente na véspera da morte dela vocês conversaram pelo telefone, e ela estava muito animada, pilheriando e contando histórias tão engraçadas que você, ao desligar, disse a sua mulher: "Há anos que ela não parece tão feliz". A morte de sua mãe foi mesmo o pior de tudo, mas além disso houve o coágulo que se formou na sua perna esquerda durante um voo de nove horas em classe turística, de Nova York a Copenhague, no início de fevereiro, que o levou a passar várias semanas deitado numa cama e o obrigou a ficar meses andando com uma bengala, para não falar do problema que você anda tendo com a vista, primeiro um rasgo na córnea do seu olho esquerdo, então um outro rasgo na córnea direita algumas semanas depois, seguido por outras ocorrências aleatórias em um ou outro olho nos últimos meses, e a coisa sempre acontece quando você está dormindo, o que significa que você não pode fazer nada para impedi-la (pois o creme receitado pelo oftalmologista não adiantou nada), e nessas manhãs, quando você acorda com mais um rasgo na córnea, a dor é feroz, pois o olho é sem dúvida a parte mais sensível e vulnerável do corpo, e depois que você põe o colírio analgésico que o médico receitou para tais emergências normalmente leva de duas a quatro horas para a dor começar a passar, e durante essas horas você não pode fazer outra coisa que não ficar sentado, imóvel, com uma toalha úmida e fria sobre o olho danificado, que você mantém fechado, pois se o abrir a sensação é a de que alguém está enfiando um alfinete nele. Seis meses se recuperando de *perna de turista*, depois um caso crônico de *olho seco*, e além disso a primeira crise de pânico séria da sua vida, ocorrida dois dias após a morte da sua mãe, seguida de várias outras nos dias subsequentes, e já há algum tempo você tem a impressão de que está se desintegrando, que você, outrora um homem naturalmente forte, capaz de resistir a todos os ataques vindos de dentro ou de fora, imune a todos os males somáticos e psíquicos que infernizam o resto da humanidade, não está mais nem um pouco forte, e cada vez mais está virando um farrapo humano debilitado. O médico da família receitou uns comprimidos para manter as crises de pânico sob controle, e talvez essas pílulas estejam afetando a sua capacidade de dirigir hoje, mas isso não lhe parece provável, porque você já dirigiu em outras ocasiões depois de tomar esse remédio e nem você nem a sua mulher perceberam nenhuma mudança. Debilitado ou não, você acaba de passar pelo pedágio da Triborough Bridge e deu início à etapa final da viagem de volta para casa, e trafegando pelas ruas da cidade você não está pensando na sua mãe nem nos seus olhos nem na sua perna nem nos comprimidos que você toma para conter as crises de pânico. Está pensando apenas no carro e nos quarenta ou cinquenta minutos que ainda faltam para você chegar à sua casa no Brooklyn, e agora que a sua mulher se acalmou e não parece mais estar preocupada com a sua atuação ao volante, você também está tranquilo, e nada de extraordinário acontece enquanto você percorre os quilômetros que separam a ponte dos arredores da sua vizinhança. É bem verdade que você precisa urinar, e sua bexiga está mandando sinais para você há vinte minutos, sinais de aflição cada vez mais rápidos e urgentes, e por isso você dirige talvez um pouco mais depressa do que seria recomendável, pois você está duplamente ansioso para chegar em casa, primeiro por querer mesmo estar em casa, é claro, e sair do confinamento abafado do automóvel, mas também porque assim que você chegar em casa será possível subir correndo até o banheiro e aliviar-se, e no entanto, embora você esteja correndo um pouco mais do que devia, está tudo bem, e agora só faltam cerca de dois minutos e meio para chegar à rua onde você mora. O carro está passando pela Fourth Avenue, um trecho feio de prédios caindo aos pedaços e armazéns vazios, e como há pouco trânsito de pedestres nesses quarteirões, os motoristas raramente têm que se preocupar com pessoas atravessando a rua, e ainda por cima os semáforos permanecem abertos por mais tempo do que é comum na maioria das avenidas, o que estimula os motoristas a acelerar, a acelerar demais, muitas vezes ultrapassando bastante o limite de velocidade. Isso não é problema se você está seguindo em linha reta (é por isso que você escolheu este caminho, afinal: porque por ele você chega em casa mais depressa do que por qualquer outro caminho), mas o volume de tráfego faz com que virar à esquerda às vezes seja um tanto perigoso, pois é preciso virar enquanto o sinal está verde, e enquanto ele está verde para você ele também está verde para os carros que vêm a toda a velocidade em sentido contrário. Ora, chegando ao cruzamento da Fourth Avenue com a Third Street, onde você precisa virar à esquerda para chegar em casa, você para o carro e espera uma oportunidade, e de repente esquece a lição que aprendeu com seu pai quando ele o ensinou a dirigir há quase quarenta anos. Seu pai, na verdade, era um péssimo motorista, incompetente, desatento, sempre a sonhar acordado, que corria sérios riscos toda vez que dava a partida no motor do carro, mas apesar de todas as suas deficiências como motorista era um excelente professor de direção, e o melhor de todos os conselhos que ele lhe deu foi este: dirija sempre na defensiva; parta do pressuposto de que todos os outros motoristas são burros e loucos; não conte jamais com eles. Você sempre manteve essas palavras em sua mente, e elas lhe foram úteis todos esses anos, mas agora, porque você está desesperado para esvaziar a bexiga, ou porque um remédio afetou o seu desempenho, ou porque você está cansado e não está prestando muita atenção, ou porque você se transformou num *farrapo humano debilitado*, você, movido por um impulso, resolve correr um risco, ou seja, partir para a ofensiva. Uma van marrom vem em sua direção. Ela vem depressa, sem dúvida, mas não a mais do que setenta e cinco quilômetros por hora, oitenta no máximo, e depois de calcular a distância entre a van e o lugar onde você parou em relação à velocidade da van, você tem certeza de que vai consegui virar à esquerda e passar pelo cruzamento sem nenhum problema — mas só se você agir depressa e pisar no acelerador *agora*. Os seus cálculos, porém, baseiam-se no pressuposto de que a van está vindo a setenta e cinco ou oitenta quilômetros por hora, um pressuposto falso. A van na verdade está correndo mais do que isso, a no mínimo cem, talvez até cento e dez quilômetros por hora, e assim, depois que você vira à esquerda e começa a passar pelo cruzamento, a van de repente e inesperadamente está em cima de você, e por estar olhando para a frente e não para a direita, você não vê quando ela se choca com o seu carro, num ângulo reto, diretamente na porta do lado do passageiro da frente, onde sua mulher está sentada. O impacto é terrível, convulsivo, catastrófico — uma explosão que parece ser o fim do mundo. Você tem a impressão de que Zeus lançou um de seus raios sobre você e sua família, e no instante seguinte o carro está rodopiando, fora de controle, descendo a rua desabalado, até bater num poste de metal e parar de repente, com um solavanco. Então tudo fica silencioso, todo o universo é envolvido pelo silêncio, e quando por fim você consegue voltar a pensar, a primeira ideia que lhe vem à mente é a de que você está vivo. Então olha para sua mulher e vê que os olhos dela estão abertos, ela está respirando, e portanto também está viva, e depois se vira para trás e vê sua filha, e ela também está viva, arrancada das profundezas do sono pelo duplo baque da van e do poste, sentada e olhando para você com olhos arregalados de espanto, os lábios mais brancos que você já viu, tão brancos quanto o papel em que você escreve agora, e você se dá conta de que ela foi salva pelos cobertores e travesseiros em que estava dormindo, salva pelo fato de que os músculos da pessoa ficam inteiramente relaxados durante o sono, e portanto não quebrou nenhum osso, a cabeça não foi lançada contra nenhuma superfície dura, ela não sofreu nada, ela está bem, como também está o cachorro, que também estava dormindo em meio às cobertas e travesseiros. Então você olha outra vez para sua mulher, que era quem estava mais próxima da colisão, e ela está tão imóvel, tão muda, tão desligada do que a cerca, que você teme que seu pescoço tenha se partido, seu pescoço longo e esguio, o belo pescoço que é o próprio emblema de sua beleza extraordinária. Você lhe pergunta como ela está, se está sentido alguma dor, e, havendo uma dor, onde é que dói, mas se ela consegue responder a resposta sai abafada, numa voz tão baixa que você não consegue ouvir. A essa altura você já percebeu o barulho ao redor do carro, coisas estão acontecendo à sua volta, várias coisas ao mesmo tempo, em particular a voz histérica da mulher que estava dirigindo a van, que anda de um lado para outro aos pulos, enfurecida, xingando você por ter causado o acidente. (Depois você vai ficar sabendo que ela estava dirigindo sem carteira, que a van não pertencia a ela e que ela já teve problemas com a polícia em mais de uma ocasião — o que explicaria a veemência de sua indignação, pois ela temia envolver-se com a polícia —, mas naquele momento em que ela está gritando com você, o que o horroriza é o egoísmo dela, o que o deixa atônito é ver que ela nem se dá ao trabalho de lhe perguntar se você e sua família estão bem.) Como se para anular o comportamento horrível dessa mulher (a qual, como diria seu pai, é ao mesmo tempo burra e louca), acontece

28

um pequeno milagre. Um homem está caminhando pela Fourth Avenue, o único pedestre numa rua onde normalmente não há pedestres, e contrariando a racionalidade, a lógica, todos os pressupostos a respeito do funcionamento do mundo, este homem está todo de branco, com um traje hospitalar, é um jovem médico, nativo da Índia, de pele parda e lisa e um rosto excepcionalmente belo, e ao ver o que acaba de ocorrer ele se aproxima do seu carro e começa a falar com sua mulher tranquilamente. Não há mais vidro da janela, de modo que ele pode aproximar o rosto do dela e falar em voz baixa, com uma voz tranquilizadora de indiano, e enquanto você o ouve fazendo todas as perguntas de praxe que um neurologista faria a um paciente — Qual o seu nome? Que dia é hoje? Qual o nome do presidente da República? — você compreende que ele está fazendo o possível para mantê-la consciente, para impedir que ela mergulhe num estado de choque profundo. Dada a força do impacto, você não se surpreende ao perceber que por ora ela não consegue distinguir nenhuma cor, que o mundo diante dos olhos dela só apresenta tons de preto e branco. O médico, que não é uma aparição, que é um homem de carne e osso (mas como não tomá-lo por um espírito divino que veio para salvar a sua mulher?), fica com ela até que cheguem a ambulância e a equipe de emergência. Agora você e a sua filha e Jack já saíram de dentro do carro, mas sua mulher não deve se mexer, todos têm medo de que ela esteja com o pescoço partido, e enquanto os bombeiros cortam a porta do carona com um instrumento apelidado de *mandíbulas da vida*, você contempla o carro destruído e não consegue entender como é que todos vocês ainda estão respirando. O automóvel parece um inseto esmagado. Os quatro pneus estão vazios, amassados, retorcidos; o lado do carona está afundado, e a traseira, a qual, você percebe agora, é a parte do carro que bateu no poste, está amarfanhada, e não resta mais nada do vidro de trás. Lentamente, os paramédicos prendem sua mulher a uma tábua para mantê-la imobilizada, levam-na para dentro de uma ambulância, põem você e sua filha dentro de outra ambulância e depois vão todos para o centro de traumatologia do Lutheran Medical Center, em Bay Ridge. Depois de duas tomografias e várias radiografias, os médicos anunciam que não há nenhuma fratura na espinha nem no pescoço de sua mulher. Felicidade, felicidade geral, então, embora a morte tenha passado por perto, e quando vocês saem juntos no hospital, sua mulher lhe conta, em tom de brincadeira, que o médico da seção de tomografia disse a ela que aquele era o pescoço mais perfeito, mais belo que ele já tinha visto.

Já se passaram oito anos e meio desde aquele dia, e nem mesmo uma única vez sua mulher o culpou pelo acidente. Segundo ela, a mulher da van estava correndo demais e por isso a culpa foi toda dela. Mas você sabe muito bem que não dá para se eximir de toda e qualquer responsabilidade. Sem dúvida, a mulher estava correndo demais, mas no final das contas isso não tem muita importância. Você correu um risco desnecessário, e essa imprudência continua lhe inspirando um forte sentimento de vergonha. Foi por isso que você jurou que nunca mais ia dirigir depois que saiu do hospital, por isso que você nunca mais assumiu o volante de um carro desde o dia em que quase matou sua família. Não porque você não confie mais em si próprio, mas porque tem vergonha, porque se deu conta de que por um momento quase fatal você foi tão burro e tão louco quanto a mulher que bateu no seu carro.

Dois anos depois do acidente, você está na cidadezinha de Arles, na França, prestes a fazer uma leitura de trechos de um de seus livros em público. A seu lado estará o ator Jean-Louis Trintignant (amigo do seu editor), que lerá os trechos que você leu em inglês numa tradução para o francês. Uma leitura dupla, como é de praxe nos países estrangeiros em que as plateias não são bilíngues, cada um lendo um parágrafo de cada vez, até terminarem de ler as páginas escolhidas para o evento. Você gostou da ideia de se apresentar ao lado de Trintignant, pois é um ator que você admira muito, e ao lembrar os filmes dele que você já viu (*O conformista*, de Bertolucci; *Minha noite com ela*, de Rohmer; *De repente, num domingo*, de Truffaut, *A fraternidade é vermelha*, de Kieslowski — para citar apenas alguns de seus prediletos), você não seria capaz de citar um ator europeu que lhe inspire mais admiração do que ele. Você sente também uma tremenda compaixão por Trintignant, pois ficou sabendo do assassinato brutal, fartamente divulgado, da filha dele alguns anos atrás, e sabe muito bem o terrível sofrimento que ele suportou e continua a suportar. Como muitos dos atores que você já conheceu e com quem já trabalhou, Trintignant é um homem tímido e reticente. O que não quer dizer que ele não irradie uma aura de boa vontade e simpatia, mas ao mesmo tempo ele está sempre recolhido em si próprio, é um homem para quem falar com as outras pessoas é difícil. No momento, vocês dois estão juntos no palco ensaiando a apresentação desta noite, sozinhos no espaço amplo da igreja, ou igreja desativada, em que a leitura será realizada. Você fica impressionado com o timbre da voz de Trintignant, a ressonância de sua voz, as qualidades vocais que distinguem um grande ator dos atores que são apenas bons, e lhe dá um prazer enorme ouvir as palavras que você escreveu (não, não exatamente as suas palavras, porém as suas palavras traduzidas para um outro idioma) sendo processadas pelo instrumento daquela voz excepcional. A certa altura, sem mais nem menos, Trintignant vira-se para você e lhe pergunta quantos anos você tem. Cinquenta e sete, você responde, e em seguida, após uma pausa, pergunta a idade dele. Setenta e quatro, ele responde, e depois, após mais uma pausa breve, vocês dois retomam o trabalho. Depois do ensaio, você e Trintignant são levados a uma sala nos fundos da igreja para esperar que a plateia se instale e o espetáculo possa começar. Há outras pessoas na sala com vocês, alguns representantes da editora que publica os seus livros, o organizador do evento, amigos anônimos de gente que você não conhece, talvez umas doze pessoas, entre homens e mulheres, ao todo. Você está sentado numa cadeira e não está falando com ninguém, apenas olhando em silêncio para as pessoas na sala, e observa que Trintignant, o qual está a cerca de três metros de você, também está em silêncio, olhando para o assoalho, com o queixo apoiado na mão, aparentemente imerso em seus próprios pensamentos. Depois de algum tempo ele levanta a vista, olha você nos olhos e diz, com um tom inesperado de franqueza e gravidade: "Paul, tem uma coisa que eu queria lhe dizer. Aos cinquenta e sete anos eu me sentia velho. Agora, aos setenta e quatro, me sinto bem mais moço do que naquele tempo". Esse comentário deixa você confuso. Você não faz ideia do que ele está tentando lhe dizer, mas dá para perceber que é algo importante para ele, que Trintignant está tentando lhe transmitir uma coisa da maior importância, e por esse motivo você não pede que ele explique o que quer dizer. Há quase sete anos você continua a pensar no que ele disse, e embora ainda não saiba exatamente qual o sentido de suas palavras, de vez em quando você tem um vislumbre, um breve momento em que lhe ocorre a impressão de ter quase atingido o sentido verdadeiro daquelas palavras. Talvez seja algo muito simples: que os homens têm mais medo da morte aos cinquenta e sete anos do que ele sente aos setenta e quatro. Ou talvez ele tenha visto em você alguma coisa que o deixou preocupado: os últimos vestígios do que aconteceu com você naqueles meses terríveis de 2002. Pois o fato é que você se sente mais robusto agora, aos sessenta e três anos, do que se sentia aos cinquenta e sete. O problema com a sua perna já passou faz muito tempo. Há anos que você não tem mais crises de pânico, e embora seus olhos ainda causem algum desconforto de vez em quando, eles o fazem com muito menos frequência do que antes. Observe também: não houve outros desastres de carro, e você não tem mais pais que possam morrer.

Há trinta e dois anos, ou seja, quase exatamente na metade da sua vida, veio a notícia de que seu pai tinha morrido na véspera, numa outra noite de janeiro cheia de neve, tal como esta, vento frio, tempestade, tudo igual, o tempo passando e no entanto não passando, tudo diferente e no entanto tudo na mesma, e ele não teve sorte o bastante para chegar a completar setenta e quatro anos. Tinha sessenta e seis, e como você sempre teve certeza de que ele iria viver muito, nunca se sentiu compelido a dissipar a névoa que sempre houve entre vocês dois, e assim, à medida que você foi se dando conta da realidade daquela morte súbita e inesperada, veio uma sensação de tarefa não concluída, a frustração vazia de palavras que não foram ditas, de oportunidades que se perderam para sempre. Ele morreu na cama fazendo amor com a namorada, um homem saudável cujo coração inexplicavelmente parou de funcionar. Nos anos que se passaram desde aquele dia de janeiro de 1979, vários homens lhe disseram que esta é a melhor maneira de morrer (a pequena morte se transformando na morte de verdade), mas nenhuma mulher lhe disse tal coisa, e você mesmo acha que é uma maneira terrível de morrer, e quando pensa na namorada do seu pai no enterro, e na expressão de choque em seu olhar (sim, ela lhe contou, foi mesmo uma coisa terrível, a experiência mais terrível da vida dela), você reza para que isso não aconteça com a sua mulher. Hoje faz trinta e dois anos, e você continua lamentando aquela partida abrupta desde então, pois o seu pai não viveu o bastante para ver que seu filho incompetente, desprovido de senso prático, não terminou num asilo para pobres, o que sempre foi sua grande preocupação, mas ele precisaria de vários anos de vida a mais para compreender isso, e causa-lhe tristeza pensar que quando seu pai de sessenta e seis anos morreu nos braços da namorada, você ainda estava batalhando em todas as frentes, ainda comendo a poeira do fracasso.

Não, você não quer morrer, e mesmo agora, ao aproximar-se da idade que tinha seu pai quando a vida dele chegou ao fim, você ainda não ligou para nenhum cemitério a fim de adquirir um jazigo, não deu para ninguém nenhum dos livros que você tem certeza de que jamais voltará a ler, nem começou a limpar a garganta para começar as despedidas. Não obstante, treze anos atrás, um mês após completar cinquenta anos, sentado no seu escritório no andar térreo de casa comendo um sanduíche de atum no almoço, você teve aquilo que agora denomina de seu falso infarto, uma dor cada vez maior que foi se espalhando pelo peito, descendo o braço esquerdo e subindo até o maxilar, sintomas clássicos de crise cardíaca seguida de morte, o temível infarto coronário que pode dar fim a uma vida numa questão de minutos, e enquanto a dor continuava a aumentar, a atingir níveis cada vez mais elevados de força incendiária, ardendo nas suas entranhas, ateando fogo a seu peito, você começou a ficar fraco e tonto por efeito dela, levantou-se com dificuldade, com passos lentos subiu a escada agarrando-se com as duas mãos ao corrimão, e desabou no patamar do andar de cima chamando sua mulher com uma voz débil, quase inaudível. Ela desceu correndo do terceiro andar, e quando o viu deitado no chão o levantou e segurou, perguntando onde estava doendo, dizendo que ia chamar o médico, e ao olhar para o rosto dela você teve certeza de que ia morrer, pois uma dor tão forte assim só podia ser sinal de morte, e o estranho da situação, talvez a coisa mais estranha que já aconteceu com você, é que você não tinha medo, na verdade estava calmo e aceitando integralmente a ideia de que estava prestes a partir deste mundo, dizendo a si mesmo: é o fim, você vai morrer agora, e talvez a morte não seja tão ruim quanto você imaginava que fosse, pois você está nos braços da mulher que você ama e, se tiver que morrer agora, considere-se um homem abençoado por ter conseguido viver cinquenta anos. Você foi levado ao hospital, passou a noite num leito do pronto-socorro, fazendo um exame de sangue a cada quatro horas, e na manhã seguinte o infarto havia se transformado numa inflamação do esôfago, sem dúvida agravada pela alta dose de suco de limão no seu sanduíche. Sua vida lhe fora restituída, seu coração estava bem, batendo normalmente, e além de todas essas notícias boas você aprendera que a morte não era mais algo a ser temido, que quando chega o momento de uma pessoa morrer seu ser passa para outra zona de consciência, e ela consegue aceitar a morte. Ou, pelo menos, foi o que você pensou. Cinco anos depois, quando você sofreu sua primeira crise de pânico, a crise súbita, monstruosa, que percorreu todo o seu corpo e o derrubou no chão, você não reagiu de modo algum com tranquilidade nem aceitação. De novo julgou que ia morrer, mas dessa vez você gritava de pavor, o medo mais intenso que já sentira na vida. Outras zonas de consciência, despedidas tranquilas deste vale de lágrimas? Nada disso. Deitado no chão, você urrava, urrava a plenos pulmões, urrava porque tinha a morte dentro de si e não queria morrer.

Neve, tanta neve nesses últimos dias e semanas que cento e quarenta e dois centímetros caíram em Nova York em menos de um mês. Oito nevascas, nove nevascas, você já perdeu a conta, e durante todo o mês de janeiro a música mais ouvida no Brooklyn é a música de rua das pás raspando as calçadas e espessas camadas de gelo. Um frio excepcional (dezesseis abaixo de zero numa manhã), chuva e garoa, névoa e lama, ventos agressivos, mas acima de tudo a neve, que não derrete, e à medida que uma nevasca se sobrepõe a outra, os arbustos e árvores do jardim de fundos ostentam barbas de neve cada vez mais compridas e pesadas. É, pelo visto temos um inverno *daqueles*, mas apesar do frio e do desconforto e do inútil anseio pela primavera, você não consegue deixar de admirar esses dramas meteorológicos, e continua a assistir ao cair da neve com o mesmo deslumbramento que sentia quando menino.

Porrada. Esta é a palavra que lhe vem à mente agora quando você pensa nos prazeres da infância (em oposição às dores da infância). As sessões de luta livre com seu pai, raras porque ele quase nunca parava em casa quando você estava acordado (ele saía para o trabalho antes de você se levantar e chegava em casa depois de sua hora de ir para a cama), e talvez mais memoráveis ainda por esse motivo, o tamanho descomunal de seu corpo e seus músculos, o volume enorme de seu pai quando você se debatia nos braços dele e tentava derrotar o rei de Nova Jersey mano a mano, e também o seu primo quatro anos mais velho, naquelas tardes de domingo em que você e sua família visitavam a casa dos tios, aqueles mesmos excessos físicos, você e o primo rolando no chão, engalfinhados, a alegria desse contato físico, a exuberância. Correr. Correr e pular e subir. Correr até você achar que seus pulmões estavam quase explodindo, até doerem as ilhargas. Dia após dia, até o cair da tarde, o entardecer lento e demorado do verão, você correndo a toda no gramado, sentindo o sangue pulsar nos ouvidos, o vento na cara. Um pouco mais tarde, futebol americano, carniça, pique, barra-bandeira, rei da colina. Você e seus amigos eram tão ágeis, tão flexíveis e tão empolgados com essas guerras de faz de conta que um partia para cima do outro com uma selvageria implacável, corpinhos chocando-se um com o outro, derrubando oponentes, puxando braços, agarrando pescoços, passando rasteiras, dando empurrões, fazendo qualquer coisa para ganhar o jogo — animais, todos vocês, animais selvagens sem tirar nem pôr. Mas como você dormia bem naquela época. Era apagar a luz, fechar os olhos... e até amanhã.

Mais sutil, mais bela e mais gratificante a longo prazo era sua habilidade crescente no beisebol, o menos violento dos esportes, e a paixão que você formou pelo beisebol a partir dos seis ou sete anos. Pegando e lançando a bola, recebendo a bola, aprendendo a posicionar-se no campo a cada momento do jogo, conforme o número de eliminações, o número de corredores na base, sabendo desde o início o que era necessário fazer caso a bola fosse lançada na sua direção: jogar para a base principal, para a segunda base, tentar uma jogada dupla ou então, porque você atuava como interbases, correr para o jardim esquerdo depois de uma rebatida e depois dar meia-volta e fazer um lançamento à distância para o lugar correto do campo. O jogo não tem nada de parado, ao contrário do que dizem os que criticam o beisebol: num estado constante de expectativa, sempre pronto para agir, mil possibilidades pipocando na cabeça, e então a explosão súbita, a bola voando em sua direção e a necessidade urgente de fazer o que deve ser feito, os reflexos rápidos exigidos para um bom desempenho, e a sensação deliciosa de pegar uma bola baixa dirigida à sua esquerda ou direita e lançá-la com força e precisão à primeira base. Mas nada dava mais prazer do que atingir a bola, assumir a posição, ver o arremessador se preparar para o lance, e acertar a bola com perfeição, sentir o baque dela no taco, o som desse baque quando você acertava a bola e a mandava para os confins do campo — não, não havia sensação igual a essa, nada que chegasse perto da empolgação desse momento, e como você foi ficando cada vez melhor nisso com o passar do tempo, esses momentos foram se multiplicando, e você vivia para eles como não vivia para mais nada, inteiramente envolvido nesse jogo infantil sem sentido, mas isso era o ápice da felicidade para você naquele tempo, a melhor de todas as coisas que seu corpo era capaz de fazer.

Os anos que decorreram antes que o sexo entrasse na equação, antes que você compreendesse que aquele bombeiro em miniatura entre suas pernas servia para outra coisa que não esvaziar a sua bexiga. Deve ser 1952 novamente, mas talvez um pouco antes ou um pouco depois disso, quando você dirige a sua mãe a pergunta que todas as crianças fazem aos pais, a pergunta de sempre: de onde vêm os bebês? Ou seja, de onde veio você, por meio de que processo misterioso você veio a este mundo como um ser humano? A resposta da sua mãe é tão abstrata, tão evasiva, tão metafórica que deixa você completamente confuso. Diz ela: o pai planta a sementinha dentro da mãe, e pouco a pouco o bebê começa a crescer. Nessa etapa da sua vida, as únicas sementes que você conhece são aquelas que geram flores e legumes, as que os fazendeiros espalham por uma plantação quando é época de plantio, para depois fazerem a colheita no outono. Imediatamente surge uma imagem na sua cabeça: seu

38

pai, com traje de fazendeiro, um fazendeiro de desenho animado com um macacão azul e um chapéu de palha na cabeça, ancinho ao ombro, caminhando com passo garboso e despreocupado em alguma roça distante, indo *plantar sua sementinha*. Durante algum tempo, era essa a imagem que você via sempre que alguém falava em bebês: o seu pai vestido de fazendeiro, macacão azul e chapéu de palha desfiado na cabeça, ancinho ao ombro. Você sabia, no entanto, que havia alguma coisa errada nisso, pois as sementes são sempre plantadas na terra, em jardins ou em campos extensos, e como sua mãe não era nem jardim nem campo, você não conseguia imaginar de que modo devia entender aquela versão agrícola da origem da vida. Será possível alguém ser mais burro do que você era então? Você era um menininho burro que não tinha inteligência suficiente para repetir a pergunta, mas a verdade é que você gostava de imaginar o seu pai como fazendeiro, gostava de vê-lo com aquele traje ridículo e, pensando bem, você provavelmente não teria compreendido o que sua mãe estava tentando lhe dizer se ela desse uma resposta mais precisa à sua pergunta.

Algumas semanas ou meses antes ou depois dessa conversa com a sua mãe, o menino da casa ao lado, que bateu na sua cabeça com um ancinho de brinquedo, inexplicavelmente desapareceu. A mãe dele, em desespero, entrou no seu quintal e mandou que você e seus amigos começassem a procurá-lo, e lá se foram vocês, avançando na zona de fronteira de arbustos silvestres e plantas rasteiras que lhes serviam de esconderijo, chamando o menino pelo nome, Michael, embora fosse mais comum chamá--lo de Pirralho ou Monstro — um criminoso mirim cuja vida até então fora inteiramente dedicada a atos de terrorismo e violência. Você entrou num trecho de vegetação mais densa, afastando as folhas do rosto e empurrando os galhos para o lado enquanto avançava, esperando a qualquer momento encontrar o marginal foragido acocorado a seus pés, mas em vez disso o que você achou foi uma caixa de vespas ou marimbondos, na qual pisou sem querer, e segundos depois foi cercado por uma nuvem desses insetos dotados de ferrão, a atacar seu rosto e seus braços, e enquanto você tentava afastá-los com as mãos, alguns entraram na sua roupa e começaram picá-lo nas pernas, no peito e nas costas. Uma dor horrível. Você saiu correndo dos arbustos para o gramado do quintal, sem dúvida aos berros, e lá estava sua mãe, que olhou para você e imediatamente começou a tirar sua roupa, e quando você estava inteiramente nu ela o pegou no colo e foi correndo para dentro de casa. Lá dentro, subiu a escada às pressas, encheu a banheira de água fria, bem fria, e pôs você dentro dela.

O menino foi encontrado. Se não lhe falha a memória, ele foi achado em sua própria casa, dormindo no chão da sala, ou escondido atrás do sofá, ou encolhido debaixo de uma mesa, mas se você precisar de uma prova adicional de que ele não morreu nem desapareceu naquele dia, basta relembrar uma tarde, quatro ou cinco anos depois, quando você estava de cama, gripado, um daqueles dias maçantes passados num quarto abafado, de pijama, com febre, tomando aspirina de quatro em quatro horas, pensando nos amigos, que já teriam saído da escola e estariam sem dúvida jogando beisebol no Grove Park, pois era um dia de sol e calor, uma tarde ideal para jogar beisebol. Você tinha nove ou dez anos, e tal como você rememora o episódio agora, mais de meio século depois, estava sozinho em casa. Lá fora, no quintal, acorrentado a um arame que seu pai tinha instalado para ele, o cachorro da família estava cochilando no gramado. Ele fazia parte da sua vida há uns bons dois anos ou mais, e você era apaixonado por ele — um bigle jovem e serelepe, aventureiro e completamente enlouquecido por correr atrás de carros. Já havia sido atropelado uma vez, machucando de tal modo a pata traseira esquerda que não podia mais usá-la, e assim virou um cachorro de três pernas, um tipo estranho de cão, com perna de pau, uma espécie de cão pirata, na sua opinião, porém havia se adaptado ao defeito muito bem, e apesar de só três pernas funcionarem ele continuava correndo mais do que qualquer cachorro quadrúpede do bairro. Assim, você estava deitado na cama no seu quarto, no andar de cima, crente que seu cachorro aleijado estava preso ao arame no quintal, quando uma barulhada súbita interrompeu o silêncio: um carro freando à frente da sua casa, logo em seguida um grito agudo de dor, o grito de um cão ferido, e você imediatamente reconheceu naquela voz a voz de seu cão. Você se levantou da cama num salto e saiu correndo de casa, e lá estava o Pirralho, o Monstro, confessando que havia soltado seu cachorro porque "queria brincar com ele", e lá estava o homem que dirigia o carro, um homem muito perturbado e profundamente constrangido, dizendo às pessoas que haviam se reunido à sua volta que não tivera escolha, o menino e o cachorro haviam corrido direto para o meio da rua, ou bem ele acertava o menino ou bem acertava o cachorro, e assim ele virou-se para o lado do cachorro e o atropelou, e lá estava o seu cachorro, que era quase todo branco, morto no meio do asfalto negro, e quando você o pegou e levou para dentro de casa você disse a si mesmo: não, o homem agiu mal, ele devia ter atropelado o menino e não o cachorro, ele devia ter matado o menino, e você ficou tão zangado com o menino pelo que ele havia feito com o seu cachorro que não parou para pensar que era a primeira vez na sua vida que você desejava a morte de outro ser humano.

Havia brigas, é claro. Ninguém atravessa a infância sem se meter em algumas brigas, ou em muitas brigas, e quando leva em conta o número de embates e confrontos de que você participou, as vezes em que o seu nariz sangrou, ou em que você fez o nariz de alguém sangrar, os socos na boca do estômago que o deixaram sem fôlego, as loucas chaves de pescoço e chaves de braço que derrubaram ao chão você e seu oponente, você não consegue se lembrar de um único caso em que tenha começado a briga, pois toda essa história de brigar lhe parecia detestável, mas como sempre havia um valentão por perto, algum sujeito forte e burro que ficava a provocá-lo com ameaças, desafios e insultos, houve ocasiões em que você se sentiu obrigado a se defender, muito embora fosse menor que o outro e tivesse quase certeza de que levaria uma surra. Você adorava as guerras de faz de conta do futebol americano e do pique-bandeira, o empurra-empurra em torno do receptor na base principal no beisebol, mas brigas de verdade lhe inspiravam repulsa. As brigas tinham um excesso de consequências emocionais, despertavam raivas angustiantes demais, e mesmo quando você ganhava, sempre tinha vontade de chorar depois. O método de resolver divergências dando ou levando uma surra perdeu todo e qualquer atrativo para você depois que um menino na colônia de férias pulou de um dos caibros do telhado da cabana em cima de você, e você acabou quebrando-lhe o braço quando o retaliou dando-lhe um empurrão que o jogou contra uma mesa de madeira. Você tinha dez anos, e desde esse dia passou a evitar as brigas sempre que possível, mas mesmo assim volta e meia acabava se metendo numa, pelo menos até chegar aos treze anos, quando então você finalmente descobriu que era capaz de derrotar qualquer garoto numa briga dando-lhe uma joelhada nos colhões, empurrando o joelho contra a virilha dele com toda a força, pois desse modo, em segundos, a briga terminava. Você adquiriu a reputação de ser alguém que "brigava sujo", e talvez com certa razão, mas você só brigava assim porque não queria brigar, e depois de um ou dois embates desse tipo, sua fama se espalhou e nunca mais ninguém o atacou. Aos treze anos de idade sua carreira de lutador se encerrou em caráter definitivo.

Terminaram as batalhas com os meninos, mas começou uma paixão persistente pelas meninas, por beijar meninas e ficar de mãos dadas com meninas, algo que começou para você muito antes da puberdade, numa época em que supostamente os meninos não se interessam por essas coisas. Desde o jardim de infância, quando você se apaixonou por uma menina de rabo de cavalo dourado (que se chamava Cathy), você sempre foi louco por beijos, e nessa época, aos cinco ou seis anos, você e Cathy de vez em quando se beijavam — bitocas inocentes, é claro, mas profundamente prazerosas mesmo assim. Durante os tais anos de latência, os seus amigos unanimemente faziam pouco das meninas em público. Debochavam delas, implicavam com elas, davam-lhes beliscões, levantavam-lhes as saias, mas você nunca sentiu essa antipatia, nunca conseguiu se motivar a tomar parte desses ataques, e durante todo o período da escola primária (ou seja, até os doze anos, quando você carregou a bandeira dos Estados Unidos com um curativo ensanguentado na cabeça durante a cerimônia de formatura), você sucumbia constantemente a uma série de paixonites por meninas como Patty, Susie, Dale, Jan e Ethel. Nada mais do que beijar e ficar de mãos dadas, é claro (você era fisicamente incapaz de fazer sexo, cujos detalhes mecânicos ainda não lhe eram muito claros, pois a puberdade só chegou para valer quando você estava às vésperas de completar catorze anos), mas os beijos já haviam se tornado ferozes quando chegou o dia da formatura. Houve bailes e festas sem a presença

43

de adultos naquele último ano antes de você entrar para o ginásio, quase todo fim de semana você e uma turma de quinze ou vinte garotos eram convidados à casa de alguém, e nas salas de visitas e porões habitáveis dessas casas de subúrbio, meninos impotentes e meninas com seios ainda brotando dançavam ao som dos rocks mais recentes (os sucessos de 1958 e 1959), e depois de algum tempo, mais para o final da festa, as luzes diminuíam, a música cessava, e meninos e meninas formavam casais em cantos escondidos da sala, onde ficavam no maior agarramento até a hora de voltar para casa. Você aprendeu muita coisa a respeito de lábios e línguas naquele ano, foi iniciado no prazer de segurar o corpo de uma menina em seus braços, de sentir os braços de uma menina em torno do seu corpo, mas a coisa não ia além disso. Havia limites que não podiam ser transpostos, e por ora você não queria mesmo ir além deles. Não porque tivesse medo, mas porque a ideia nem sequer lhe ocorria.

Por fim chegou o dia em que você rompeu o limiar que separa a infância da adolescência, e agora que você tinha experimentado aquele sentimento, que você havia descoberto que o seu velho amigo, o bombeiro, era na verdade o agente de uma felicidade divina, o mundo em que você vivia se transformou num outro mundo, pois o êxtase daquele sentimento lhe deu um novo sentido para a vida, uma nova razão para estar vivo. Assim tiveram início os anos de obsessão fálica. Como todo outro macho que já viveu neste mundo, você ficou deslumbrado com a mudança milagrosa ocorrida com o seu corpo. Na maior parte do tempo, você quase não conseguia pensar em outra coisa — e havia dias em que de fato não pensava em mais nada.

Não obstante, ao relembrar os anos imediatamente anteriores à sua transformação, causa-lhe surpresa constatar o quanto você era cauteloso e imaturo. Apesar do seu ardor, apesar de estar o tempo todo atrás das meninas no ginásio e no científico, apesar dos namoros e flertes com Karen, Peggy, Linda, Brianne, Carol, Sally, Ruth, Pam, Starr, Jackie, Mary e Ronnie, suas aventuras eróticas eram terrivelmente tímidas e insípidas, apenas um passo adiante dos namoricos dos doze anos de idade. Talvez você não tivesse sorte, ou talvez lhe faltasse coragem, mas você tende a pensar que era mais um efeito do lugar e da época, um subúrbio de classe média no início dos anos 60, e do código tácito segundo o qual as meninas não se entregavam aos meninos, as meninas de família tinham que manter sua reputação e o limite último situava-se nos beijos e carícias, as carícias menos perigosas de todas, ou seja, a mão do menino sobre um seio coberto por duas ou três camadas de roupa, uma suéter (dependendo da estação do ano), uma blusa e um sutiã, mas ai do menino que tentasse colocar a mão dentro de uma blusa, quanto mais avançar no território proibido dentro do sutiã, pois essa mão seria mais que depressa afastada pela menina cuja reputação era preciso manter, mesmo que no fundo ela quisesse que a mão entrasse ali tanto quanto o menino. Quantas vezes você foi rechaçado nessas circunstâncias, você se pergunta, quantas incursões frustradas suas mãos fizeram dentro das saias e blusas das suas amiguinhas, quantas viagens incompletas rumo ao território da pele nua, interrompidas ao chegar aos portões? Tais eram as condições restritivas impostas à sua vida erótica em seus primeiros anos. Nada de pele nua, nada de tirar a roupa, e nem pensar em envolver a genitália no jogo que vocês jogavam. E assim, você e Linda ficavam se beijando, beijando, beijando mais ainda, beijando até os lábios ficarem rachados e a saliva escorrer rosto abaixo, e o tempo todo você rezava para que a ereção que se avolumava dentro de suas calças não explodisse.

* * *

Você vive num tormento de frustração e excitação sexual incessante, quebrando o recorde norte-americano de masturbação todos os meses durante os anos de 1961 e 1962, um onanista não por opção, mas por força das circunstâncias, preso dentro de seu corpo sempre a crescer, sempre a transformar-se, um menino de treze anos com um metro e cinquenta e sete de altura transformado num menino de quinze anos com um metro e setenta e sete, ainda um menino, talvez, mas um menino num corpo de homem, que faz a barba duas vezes por semana, que tem pelos nos antebraços e nas pernas, pelos nas axilas, pelos na virilha, porque não é mais um menino púbere e sim quase um homem feito, e enquanto você faz seus trabalhos da escola e pratica esportes e se aprofunda cada vez mais no universo dos livros, sua vida é dominada por uma fome sexual frustrada, você tem a impressão de que está literalmente morrendo de fome, não há ambição mais importante para você, não há causa mais central para o bem-estar de seu eu doído e famélico do que a de perder a virgindade o mais depressa possível. Esse é o seu desejo, ao menos, mas não está escrito em lugar nenhum que os desejos têm que ser realizados, e assim a tortura continua, atravessando todas as renúncias delirantes de 1962, chegando ao outono de 1963, quando finalmente, depois de tanto tempo, surge uma oportunidade, que embora não seja ideal, não seja de modo algum aquilo que você imaginava, é algo que você aceita sem hesitar. Você tem dezesseis anos. Em julho e agosto, você trabalhou como garçom numa colônia de férias no interior do estado de Nova York, e o garçom que era seu colega de trabalho, um garoto engraçado, que falava depressa, do Queens (um garoto da cidade, que sabe se virar nas ruas de Nova York — muito diferente de você, que não sabe praticamente nada), telefona para lhe dizer que tem o endereço e o número de telefone de um randevu no Upper West Side. Ele pode lhe arranjar um encontro se você quiser, e como você sem dúvida alguma quer, você pega um ônibus e vai para a cidade no sábado seguinte, encontra-se com seu amigo na frente de um prédio residencial numa rua de número oitenta e alguma coisa, perto do rio. É uma tarde úmida de setembro, cai uma garoa, tudo está cinzento e encharcado, um dia de se usar guarda-chuva, ou pelo menos chapéu, mas você não tem nem guarda-chuva nem chapéu, o que não é problema nenhum, de modo algum, pois a última coisa em que você está pensando agora é o tempo que está fazendo. A palavra *randevu* evocou em você toda uma série de imagens mentais fascinantes, e você imagina entrar num estabelecimento amplo, luxuosamente decorado, com paredes forradas de veludo vermelho e uma equipe de quinze ou vinte moças atraentes (que filme idiota pôs essa ideia na sua cabeça?), mas quando você e o seu amigo entram no elevador, o elevador mais lerdo, mais sujo, mais pichado de toda a cidade, você mais que depressa reajusta as suas expectativas. O tal randevu luxuoso é na verdade um apartamentozinho conjugado, e nele só há duas mulheres, a proprietária, Kay, uma negra rechonchuda de quarenta e muitos anos, que saúda seu amigo com um abraço caloroso, como se os dois se conhecessem há muito tempo, e uma mulher bem mais jovem, também negra, que deve ter vinte ou vinte e dois anos. As duas estão sentadas na cozinha minúscula, separada do outro cômodo por uma cortina fina que não chega a encostar no chão, as duas com penhoar de seda colorido, e, para seu enorme alívio, a mulher mais moça é muito atraente, com um rosto muito bonito, talvez até lindo. Kay informa o preço (quinze dólares? vinte dólares?) e então pergunta a você e seu amigo quem quer ir primeiro. Não, não, diz o seu amigo, rindo, ele veio só acompanhando você (sem dúvida, as garotas do Queens tiram a roupa com menos relutância do que as meninas de Nova Jersey), e assim Kay vira-se para você e lhe diz para escolher, ou ela ou sua colega mais moça, e quando você não escolhe Kay ela não parece ficar ofendida — apenas dá de ombros, sorri, estende a mão e diz: "Um dinheirinho, meu amiguinho", quando então você enfia a mão no bolso e tira os quinze ou vinte dólares devidos. Você e a mulher mais moça (por timidez ou nervosismo, você se esqueceu de perguntar o nome dela, e por isso ela permanece anônima para você desde então) vão para o outro cômodo, e Kay fecha a cortina. A garota o leva até a cama, que fica num canto, tira o penhoar e o joga numa cadeira, e pela primeira vez na vida você se vê diante de uma mulher nua. Uma linda mulher nua, na verdade, uma jovem com um corpo belíssimo, seios esplêndidos, braços e ombros esplêndidos, nádegas esplêndidas, cadeiras esplêndidas, pernas esplêndidas, e depois de três longos anos de frustração e fracasso você está começando a se sentir feliz, a maior felicidade que você já sentiu desde que teve início a adolescência. A garota diz que você deve tirar a roupa, e então vocês dois estão juntos na cama, os dois nus, e tudo que você realmente quer, pelo menos por ora, é pegar nela e beijá-la e sentir a maciez de sua pele, uma pele maravilhosamente macia, tão macia que você treme só de encostar nela, mas beijar na boca não faz parte do programa, pois as prostitutas não beijam os fregueses na boca, e as prostitutas não se interessam por carícias preliminares, não querem tocar nem ser tocadas pelo simples prazer de tocar e ser tocada, pois o sexo nessas circunstâncias não é prazer e sim trabalho, e quanto mais rápido o cliente terminar o serviço pelo qual pagou, melhor. Ela sabe que para você é a primeira vez, que você é um novato absolutamente desprovido de experiência, e o trata com jeito e paciência, é uma boa pessoa, você sente, e se ela quer logo partir para a foda, problema nenhum, você está mais do que disposto a seguir as regras dela, pois sem dúvida alguma você está preparado, você está de pau duro desde o momento em que ela se despiu, e assim, quando ela se deita de barriga para cima, você sobe nela na maior felicidade e deixa que ela coloque o seu pênis no lugar aonde ele quer chegar há tantos anos. Tudo bem, tudo muito bem, é tão bom quanto você imaginava que fosse, não, melhor ainda, muito melhor, e tudo corre às mil maravilhas por algum tempo, quando parece que em apenas uma questão de segundos você vai terminar o serviço, mas então você começa a reparar que Kay e o seu amigo estão conversando e rindo na cozinha, a apenas três ou quatro metros da cama, e uma vez que você se dá conta disso, sua mente começa a perder a concentração, e assim que sua mente passa a se ocupar com outra coisa que não o serviço a ser realizado, você percebe que a moça está muito entediada, que essa história toda para ela é muito chata, e muito embora você esteja deitado em cima dela, ela não está de modo algum perto de você, ela está em outra cidade, em outro país, e então, perdendo a paciência, a moça pergunta se você vai acabar logo, e você diz sim, é claro, e vinte segundos depois ela repete a pergunta, e você diz sim, claro, mas da próxima vez que se dirige a você o que ela diz é: "Deixa eu te bater uma punheta. Esses meninos. Batem punheta o tempo todo, mas quando chega a hora da verdade vocês não sabem o que fazer". E assim você deixa que ela lhe bata uma punheta, que ela faça exatamente o que você vem fazendo sozinho nos últimos três anos — mas há uma pequena diferença: com a mão dela é melhor do que com a sua.

Você nunca mais voltou lá. Por um ano e meio, você continuou às voltas com suéteres, blusas e sutiãs, continuou beijando e acariciando e se constrangendo com ejaculações inconvenientes, e então, aos dezoito anos, deu um jeito de escapulir da escola

49

nos dois últimos meses do colegial, primeiro pegando uma mononucleose que o deixou fraco e acamado a maior parte do mês de maio, e depois indo à Europa num navio que levava apenas estudantes, três semanas antes da formatura da sua turma. As autoridades da escola permitiram sua participação nessa viagem porque suas notas eram boas e porque você já tinha sido aceito por uma faculdade para o semestre de outono, e assim você partiu, tendo ficado combinado que voltaria no início de setembro para fazer as provas finais e ganhar o seu diploma oficialmente. Em 1965, viajar de avião era caro, mas uma passagem num navio de estudantes era barata, e como o seu dinheiro era curto (dinheiro que você ganhara em empregos de verão, economizado nos últimos dois anos), você escolheu ir no *Aurelia*, uma viagem lenta, nove dias de Nova York a Le Havre. Havia cerca de trezentos alunos a bordo, que em sua maioria já haviam completado o primeiro ou o segundo ano da faculdade, de modo que eram um pouco mais velhos que você, e não tendo você e seus companheiros de viagem quase nada para fazer enquanto atravessavam o Atlântico a passo de cágado, ocupando o tempo dormindo, comendo, lendo e assistindo a filmes, era muito natural, até mesmo inevitável, você diria agora, que os pensamentos de trezentos jovens na faixa dos dezoito aos vinte e um anos se voltassem acima de tudo para o sexo. Tédio e proximidade, o langor de uma viagem tranquila com tempo bom, a consciência de que o navio era um mundo à parte e nada do que acontecesse ali viria a ter consequências duradouras — todos esses fatores, combinados, criavam uma atmosfera de sensualidade escancarada. Os flertes começaram antes mesmo do pôr do sol do primeiro dia e continuaram até que o navio chegou ao porto duzentas horas depois. Era um verdadeiro palácio flutuante de fornicação em alto-mar, onde casais entravam e saíam de fininho em cabines escuras, rapazes e moças trocavam de parceiro de um dia para o outro, e duas vezes durante a viagem você se viu na cama com alguém, em ambas as vezes garotas simpáticas e inteligentes, não muito diferentes das meninas de boa família que você conhecia desde pequeno em Nova Jersey, mas essas garotas eram de Nova York, e portanto tinham mais sofisticação, mais experiência do que aquelas virgens da sua cidade natal, que viviam afastando a sua mão dos lugares proibidos, e como a atração era grande das duas partes, no primeiro caso entre você e Renée, no segundo entre você e Janet, não havia nenhum constrangimento na hora de tirar a roupa, entrar debaixo do lençol e fazer amor de uma maneira que não fora possível naquele melancólico apartamento do Upper West Side, pois agora os beijos e as carícias e os sentimentos genuínos faziam parte da aventura, e era essa a verdadeira novidade, a sua iniciação no prazer de dois parceiros envolvendo-se igualmente numa intimidade prolongada. Ainda havia muito a aprender, é claro. A essa altura você ainda era apenas um iniciante, mas pelo menos agora você estava bem encaminhado, pelo menos havia descoberto o quanto havia de bom pela frente.

Mais tarde, quando você estava morando em Paris no início dos anos 70, houve longos intervalos em que você se viu sozinho, dormindo noite após noite sem nenhum corpo ao lado do seu naquele quartinho de empregada, e havia momentos em que você ficava semienlouquecido por estar sem mulher, não apenas pela falta de contato sexual mas também pela falta de qualquer contato físico, e como não havia ninguém a quem recorrer, nenhuma mulher que pudesse lhe proporcionar o companheirismo pelo qual você ansiava, de vez em quando você saía e pegava uma prostituta, talvez cinco ou seis vezes durante os anos que você passou lá, perambulando pelas ruas transversais do bairro de Les Halles, que depois seria demolido, e que ficava pertinho do seu quarto, ou então, aventurando-se um pouco mais longe, indo até a Rue Saint-Denis e os becos, travessas e ruelas de paralelepípedo da região, calçadas cheias de mulheres alinhadas contra as paredes dos prédios e dos *hôtels de passe*, uma série de possibilidades femininas que ia de meninas de boa aparência com vinte e poucos anos até veteranas grosseiramente maquiadas com mais de cinquenta, representantes de todos os tipos de corpo imagináveis, de todas as raças e cores, desde francesas rechonchudas até africanas magricelas, passando por italianas e israelenses voluptuosas, algumas trajando minissaia provocante, com seios extravasando o sutiã cavado e a blusa transparente, outras de blue jeans e suéter discreta, lembrando as suas colegas de escola em Nova Jersey, porém todas com sapatos de salto alto ou botas, botas de couro, pretas ou brancas, de vez em quando com um boá ou echarpe de seda em torno do pescoço, e uma ou outra garota fazendo o gênero sadomasoquista, com um traje vistoso todo de couro, ou uma falsa menina em idade escolar, com saia xadrez e blusa branca bem comportada, mulheres para atender a todo tipo de desejo e preferência, e caminhando pelo meio dessas ruas sem carros vinham os homens, um desfile infindável de homens silenciosos, a examinar as possibilidades expostas nas calçadas com olhares furtivos ou descarados, mulheres de todos os tipos preparadas para alugar-se a homens de todos os tipos, desde árabes solitários até senhores de meia-idade com terno e gravata, as multidões de imigrantes solteiros, estudantes frustrados e maridos entediados, e quando você participava desses desfiles de repente tinha a sensação de que não estava mais no mundo do dia a dia, porém havia penetrado num sonho erótico que era ao mesmo tempo emocionante e inquietador, pois a ideia de que você podia ir para a cama com qualquer uma daquelas mulheres, bastando oferecer-lhe cem francos (vinte dólares), deixava-o tonto, fisicamente tonto, e enquanto fazia a ronda daquelas ruas estreitas procurando uma companheira para satisfazer o desejo que o havia forçado a sair do seu quarto e penetrar nesse labirinto de carne, você dava por si olhando para os rostos mais do que para os corpos, ou olhando primeiro para os rostos e depois para os corpos, buscando um rosto bonito, o rosto de um ser humano cujos olhos não estivessem mortos, alguém cujo espírito ainda não tivesse se afogado de todo no anonimato e na artificialidade da prostituição, e curiosamente, nas suas cinco ou seis investidas nos bairros de prostituição de Paris, inteiramente legalizados e sancionados pelo governo, você de modo geral conseguiu achar o que procurava. Assim, não houve experiências ruins, nenhum encontro que lhe inspirasse arrependimento ou remorso, e ao relembrar esse período agora você imagina que foi bem tratado porque não era um homem mais velho e barrigudo, nem um trabalhador fedido de unhas sujas, e sim um rapaz de vinte e quatro ou vinte e cinco anos, nem um pouco agressivo, até mesmo atraente, que não impunha nenhuma exigência idiossincrática nem incômoda às mulheres que levava para o quarto, que apenas sentia gratidão por não estar sozinho em sua própria cama. Por outro lado, não seria correto classificar qualquer uma dessas experiências como memorável. Rápidas e diretas, numa atmosfera de boa vontade, mas de execução eficiente, um serviço oferecido com competência pelo preço combinado, mas como você não era mais um neófito trapalhão de dezesseis anos, não pedia mais do que isso. Mesmo assim, houve uma vez em que aconteceu algo fora do comum, quando uma faísca de reciprocidade acendeu-se entre você e sua companheira provisória, por acaso a última vez que você pagou uma mulher para fazer sexo, no verão de 1972, quando estava ganhando um dinheiro muito bem-vindo trabalhando como telefonista do *New York Times* no turno da noite, aproximadamente das seis da tarde à uma da madrugada, você já não lembra exatamente qual o horário, mas você chegava quando o escritório estava se esvaziando ao final do expediente e ficava sozinho, a única pessoa no andar escuro de um prédio na margem direita do Sena, esperando que o telefone tocasse, coisa que raramente acontecia, e usando o silêncio ininterrupto dessas horas para ler livros e escrever poemas. Numa noite de fim de semana, ao fim do seu turno, você saiu do escritório e foi recebido pelo ar de verão, o abraço caloroso do ar de verão, e como o metrô já não estava funcionando, você começou a ir para casa a pé, caminhando rumo ao sul no ar suave de verão, nem um pouco cansado, passando por ruas vazias em direção a seu quartinho vazio. Em pouco tempo chegou à Rue Saint-Denis, onde ainda havia algumas moças trabalhando apesar do avançado da hora, e entrou numa rua transversal, onde costumavam ficar as garotas mais bonitas, sentindo que ainda não estava com vontade de voltar para casa, que tinha passado muitas horas sozinho e encarava com repulsa a perspectiva de voltar para aquele quarto vazio, e no meio do quarteirão uma mulher chamou sua atenção, uma morena alta com um rosto lindo e um corpo igualmente lindo, e quando ela sorriu para você e perguntou-lhe se queria companhia (*Je t'accompagne?*), você aceitou a oferta dela sem pensar duas vezes. Ela voltou a sorrir, satisfeita com a rapidez da transação, e enquanto você continuava olhando para o rosto dela ocorreu-lhe que ela seria uma mulher arrasadora se seus olhos não fossem tão próximos um do outro, se ela não fosse ligeiramente vesga, mas isso não importava para você, assim mesmo ela era a mulher mais atraente que você já vira naquela rua, e o sorriso dela o desarmou, um sorriso magnífico, na sua opinião, e você pensou que se todo mundo em toda a terra fosse capaz de sorrir como ela, não haveria mais guerras nem conflitos humanos, a paz e a felicidade haveriam de imperar no planeta para sempre. Ela se chamava Sandra, uma moça francesa de vinte e tantos anos, e enquanto vocês subiam a escada em espiral que levava ao terceiro andar do hotel, Sandra à frente, ela lhe disse que você era o último freguês da noite, e portanto não precisava ter pressa, podia ficar todo o tempo que quisesse. Aquilo não tinha precedentes, era uma violação de todos os padrões e protocolos da profissão, mas já estava claro que Sandra era diferente das outras moças que trabalhavam naquela rua, não havia nela a dureza e a frieza que pareciam fazer parte do perfil profissional. Então você se viu no quarto com ela, e tudo continuou a ser diferente de todas as suas outras experiências naquele bairro. Ela estava relaxada, num estado de espírito caloroso e expansivo, e mesmo quando vocês dois se despiram, mesmo quando você se deu conta de que o corpo dela era extraordinariamente belo (*majestoso* foi a palavra que lhe veio à mente, do mesmo modo como são majestosos os corpos de certas dançarinas), ela continuou falante e brincalhona, sem nenhuma pressa de ir logo ao que interessava, nem um pouco incomodada com a sua vontade de tocá-la e beijá-la, e deitada a seu lado na cama começou a demonstrar as diversas posições amorosas que ela e as amigas utilizavam com os clientes, o Kama Sutra da Rue Saint-Denis, se torcendo e contorcendo toda e ajudando você a retorcer seu corpo de modo a encaixar-se no dela, rindo baixinho do absurdo da situação e dizendo o nome de cada posição. Infelizmente, você só se lembra de um deles, provavelmente o menos interessante, mas também o mais engraçado por ser tão desinteressante: *le paresseux*, o preguiçoso, que era simplesmente a posição em que o homem ficava deitado de lado e copulava com a parceira encarando-a. Você nunca havia conhecido uma mulher que se sentisse tão à vontade com o próprio corpo, com um jeito tão sereno de exibir--se nua, e por fim, apesar da vontade de prolongar essas demonstrações até o raiar do dia, você ficou excitado demais para se conter. Você imaginava que aquilo seria o fim de tudo, pois a *jouissance* sempre assinalava o fim de tais encontros, mas mesmo depois que você terminou Sandra não insistiu para deixá-la ir embora, ela queria ficar deitada na cama a seu lado conversando, e assim você ficou com ela por mais um hora ou quase isso, feliz nos braços de Sandra, com o rosto apoiado no ombro dela, falando sobre coisas que há muito tempo você já não recorda, e quando por fim ela lhe perguntou o que você fazia da vida e você respondeu que escrevia poemas, imaginando que ela daria de ombros com indiferença ou faria algum comentário inócuo, ela mais uma vez o surpreendeu, pois foi só você começar a falar sobre poesia que Sandra fechou os olhos e deu de recitar Baudelaire, longas passagens enunciadas com muito sentimento e sem nenhuma omissão, levando-o a imaginar que Baudelaire havia se levantado na cova e estava escutando.

> *Mère des souvenirs, maîtresse des maîtresses,*
> *O toi, tous mes plaisirs! ô toi, tous mes devoirs!*
> *Tu te rappelleras la beauté des caresses,*
> *La douceur du foyer et le charme des soirs,*
> *Mère des souvenirs, maîtresse des maîtresses!**

Foi um dos momentos mais extraordinários da sua vida, um dos momentos mais felizes da sua vida, e mesmo depois que você voltou para Nova York e um novo capítulo da sua história estava sendo escrito, você continuava pensando em Sandra e nas horas que havia passado com ela naquela noite, perguntando a si próprio se não devia pegar um avião, voltar correndo a Paris e pedi-la em casamento.

---

* "Mãe das recordações, amante das amantes,/ Tu, todo o meu prazer! Tu, todo o meu dever!/ Hás de lembrar-te das carícias incessantes,/ Da doçura do lar à luz do entardecer,/ Mãe das recordações, amante das amantes!" (N. E.)

* * *

Sempre perdido, sempre saindo na direção errada, sempre rodando em círculos. A vida inteira você sofreu de uma incapacidade de se orientar no espaço, e até mesmo em Nova York, uma cidade onde é facílimo se nortear, a cidade onde você passou a maior parte da sua vida adulta, com frequência você se perde. Toda vez que toma o metrô no Brooklyn para ir a Manhattan (quando pega o trem certo, e não parte em direção aos confins do Brooklyn), você faz questão de parar um minuto para se orientar depois que sobe a escada da estação e chega à rua, e mesmo assim você acaba indo para o norte em vez de para o sul, para o leste em vez de para o oeste, e mesmo quando quer ser mais esperto e, consciente de sua tendência a tomar a direção errada, para corrigir o erro decide ir no sentido contrário ao que pretendia tomar, virando à direita em vez de à esquerda, mesmo assim você acaba indo para o lado errado, por mais ajustes que tenha feito. Nem pensar em perambular sozinho numa floresta. Você fica completamente perdido em poucos minutos, e mesmo em ambientes fechados, quando se vê num prédio que não conhece bem, sua tendência é tomar o corredor errado ou o elevador errado, para não falar em espaços fechados menores tais como restaurantes, pois sempre que vai ao banheiro num restaurante em que há mais de uma sala de jantar, na volta você inevitavelmente toma a direção errada e acaba passando minutos à procura da sua mesa. A maioria das outras pessoas, inclusive a sua mulher, que tem uma bússola interior infalível, parece se orientar sem maiores problemas. Elas sabem onde estão, de onde vieram e para onde vão, mas você não sabe nada, está sempre perdido no momento presente, no vazio de cada momento sucessivo que o engole, sem fazer ideia de onde fica o norte, pois os quatro pontos cardeais não existem para você, jamais existiram. Um problema de importância menor até agora, sem nenhuma consequência trágica, mas isso não quer dizer que um belo dia você não vai acabar caindo num despenhadeiro por engano.

Seu corpo em aposentos pequenos e grandes, seu corpo subindo e descendo escadas, seu corpo nadando em lagoas, lagos, rios e oceanos, seu corpo atravessando terrenos enlameados, seu corpo deitado no capim alto de um prado vazio, seu corpo caminhando pelas ruas de uma cidade, seu corpo subindo morros e montanhas, seu corpo sentado em cadeiras, deitado em camas, estirado em praias, percorrendo estradas do interior de bicicleta, atravessando florestas, pastos e desertos, correndo em pistas de atletismo, pulando em assoalhos de tábua corrida, lavando-se em boxes de chuveiros, entrando em banheiras de água quente, sentado em vasos sanitários, esperando em aeroportos e estações ferroviárias, subindo e descendo em elevadores, espremido em bancos de carros e ônibus, caminhando na chuva sem guarda-chuva, sentado em salas de aula, perambulando por livrarias e lojas de discos (que Deus as tenha), sentado em auditórios, cinemas e salas de concerto, dançando com garotas em ginásios de colégios, remando em canoas em rios e lagos, comendo em mesas de cozinha, comendo em mesas de salas de jantar, comendo em restaurantes, fazendo compras em lojas de departamentos, lojas de artigos eletrônicos, lojas de móveis, lojas de ferragens, lojas de roupas, sapatarias e mercearias, em filas para tirar passaporte e carteira de motorista, reclinado em cadeiras com as pernas apoiadas em escrivaninhas e mesas enquanto você escreve em cadernos, debruçado sobre máquinas de escrever, caminhando no meio de nevascas sem chapéu, entrando em sinagogas e igrejas, vestindo-se e despindo-se em quartos de residências, quartos de hotéis e vestiários de academias, subindo escadas rolantes, deitado em leitos hospitalares, sentado em mesas de exame médico, em cadeiras de barbeiros e dentistas, dando saltos-mortais na grama, plantando bananeira na grama, pulando dentro de piscinas, caminhando lentamente em museus, jogando basquete em playgrounds, lançando bolas de beisebol ou futebol americano em parques públicos, experimentando as diferentes sensações de caminhar em pisos de madeira, cimento, ladrilhos e pedra, as diferentes sensações de pôr os pés na areia, na terra e na grama, mas acima de tudo a sensação de pisar em calçadas, pois é assim que você se vê sempre que para para pensar em quem você é: um homem que caminha, um homem que passou a vida caminhando por ruas de cidades.

Recintos, casas, quartos pequenos e grandes que abrigaram seu corpo das intempéries. Começando com seu nascimento no Beth Israel Hospital em Newark, Nova Jersey (3 de fevereiro de 1947), e chegando até o presente (esta manhã fria de janeiro em 2011), esses são os lugares em que você tem estacionado seu corpo no decorrer dos anos — os lugares que, para o bem ou para o mal, lhe serviram de lar.

1. 75 South Harrison Street; East Orange, Nova Jersey. Um apartamento num prédio de tijolo mais para alto. Idade, de zero a um ano e meio. Nenhuma lembrança, mas segundo o que lhe foi dito anos depois, ainda na infância, seu pai conseguiu alugar um apartamento lá dando de presente à proprietária uma televisão — um suborno que se fez necessário pela escassez de residências que se generalizou no país após o término da Segunda Guerra Mundial. Como na época seu pai era proprietário de uma pequena loja de artigos eletrônicos, o apartamento em que você morava com seus pais também tinha televisão, de modo que você foi um dos primeiros americanos, uma das primeiras

pessoas em todo o mundo, a crescer numa casa em que havia televisão desde seu nascimento.

2. 1500 Village Road; Union, Nova Jersey. Um apartamento térreo com jardim num condomínio de prédios baixos de tijolo, chamado Stuyvesant Village. Calçadas geometricamente alinhadas com grandes extensões de gramado bem cuidado. "Grande" sem dúvida é um termo relativo, porém, já que você era bem pequeno na época. Idade, um ano e meio a cinco. Nenhuma lembrança, depois umas poucas lembranças, e então uma abundância de lembranças. As paredes e venezianas verde-escuras da sala de visitas. Você procurando minhocas na terra com uma colher de jardineiro. Um livro ilustrado sobre um cachorro de circo chamado Peewee, um dálmata de brinquedo que milagrosamente cresce até atingir o tamanho natural. Você arregimentando sua frota de carros e caminhões em miniatura. Banhos na pia da cozinha. Um cavalo mecânico chamado Whitey. Uma xícara com chocolate pelando que foi derramada em você e deixou uma cicatriz permanente na dobra do seu cotovelo.

3. 253 Irving Avenue; South Orange, Nova Jersey. Uma casa de dois andares, branca, revestida de ripas, construída na década de 20, com uma porta amarela à frente, um caminho de cascalho para carros e um quintal grande atrás. Idade, de cinco a doze. O cenário de quase todas as suas lembranças da infância. Você foi morar lá há tanto tempo que, nos primeiros dois anos, o entregador de leite ainda vinha numa charrete.

4. 406 Harding Drive; South Orange, Nova Jersey. Uma casa maior do que a anterior, em estilo Tudor, mal localizada na esquina de uma ladeira, com um quintal mínimo e um interior escuro. Idade, de treze a dezessete. A casa em que você sofreu os tormentos da adolescência e escreveu seus primeiros poemas e contos, e em que o casamento de seus pais chegou ao fim. Seu pai continuou morando lá (sozinho) até morrer.

5. 25 Van Velsor Place; Newark, Nova Jersey. Um apartamento de dois quartos não muito longe da Weequahic High School e do hospital onde você nasceu, alugado pela sua mãe depois que ela e seu pai se separaram e então se divorciaram. Idade, de dezessete a dezoito. Havia quartos para a sua mãe e para a sua irmãzinha, mas você dormia num sofá-cama instalado num escritório minúsculo, e nem por isso se queixava, pois se sentia aliviado de ter chegado ao fim o casamento dolorosamente infeliz de seus pais, aliviado de não estar mais morando num subúrbio. Nesse tempo você já tinha carro, um Chevrolet Corvair usado, que você comprou por seiscentos dólares (o mesmo automóvel defeituoso que lançou a carreira de Ralph Nader — se bem que o seu nunca lhe deu nenhum problema sério), e todos os dias, pela manhã, você ia de carro até o seu colégio, no bairro não muito distante de Maplewood, e interpretava o papel de aluno do colegial, mas agora você estava livre, sem nenhum adulto a supervisionar sua vida, entrando e saindo de casa como bem entendia, preparando-se para bater asas e voar.

6. Suíte 814A, Carman Hall; dormitório da Universidade Columbia. Dois quartos em cada suíte, dois estudantes em cada quarto. Paredes de bloco de concreto, assoalho forrado de linóleo, duas camas junto à janela, a extremidade de uma encostada na extremidade da outra, duas escrivaninhas, um armário embutido para guardar roupas e um banheiro compartilhado com os moradores da suíte 814B. Idade, dezoito a dezenove. Carman Hall foi o primeiro dormitório novo construído no campus da Universidade Columbia em mais de cinquenta anos. Um ambiente austero, feio, desprovido de qualquer encanto, mas mesmo assim bem melhor do que os quartos dos dormitórios mais antigos (Furnald, Hartley), que mais pareciam masmorras, onde você ia às vezes visitar os seus amigos e ficava horrorizado com o fedor de meias sujas, os beliches apertados, a escuridão generalizada.

Você estava morando no Carman Hall durante o blecaute de Nova York de 1965 (velas por toda parte, uma atmosfera de comemoração anárquica), mas daquele quarto o que mais ficou na sua memória foram as centenas de livros que você leu lá e as garotas que de vez em quando terminavam na sua cama. As regras dos dormitórios, naquela faculdade só para homens, haviam sido mudadas pela administração da universidade exatamente antes do início do seu primeiro ano lá, e agora se permitia que pessoas do sexo feminino entrassem nos quartos — com a porta fechada. Durante algum tempo antes de você ingressar na instituição, as mulheres podiam entrar desde que a porta ficasse aberta, e depois, durante um período de dois anos, a porta podia ficar entreaberta, com um espaço equivalente ao de um livro, mas então um rapaz brilhante, com uma cabeça de talmudista, desafiou as autoridades usando um livro finíssimo, e com isso terminou a política das portas abertas. O seu companheiro de quarto era um amigo de infância. Ele começou a usar drogas no meio do primeiro semestre, foi se envolvendo cada vez mais com o passar do tempo, e nada do que você lhe dissesse tinha o menor efeito sobre ele. Impotente, você assistiu ao espetáculo da desintegração gradual do seu colega. No outono seguinte, ele largou a universidade — para nunca mais voltar. Foi por isso que você jamais usou drogas, nem mesmo no auge dos dionisíacos anos 60. Álcool, sim; cigarro, sim; mas drogas, não. Quando você se formou, em 1969, dois outros amigos de infância seus já haviam morrido de overdose.

7. 311 West 107th Street; Manhattan. Um apartamento quarto e sala no terceiro andar de um prédio de quatro andares, sem elevador, entre a Broadway e a Riverside Drive. Idade, dezenove a vinte. Seu primeiro apartamento, que você dividia com outro aluno do segundo ano, Peter Schubert, seu amigo mais íntimo durante os primeiros anos de faculdade. O apartamento

era uma espelunca terrível, mal projetado, caindo aos pedaços; a única coisa que tinha de bom era o fato de haver duas entradas separadas. A primeira dava para o cômodo maior, que era seu quarto e escritório, e também cozinha, sala de jantar e sala de estar. A segunda dava para um corredor estreito que corria paralelamente ao primeiro cômodo e levava a uma cela pequena nos fundos, que era o quarto de Peter. Vocês dois eram péssimos donos de casa, o lugar vivia imundo, a pia da cozinha entupia repetidamente, as instalações eram mais velhas do que vocês e não funcionavam direito, cotões engordavam no carpete gasto, e pouco a pouco vocês dois transformaram a baiuca que haviam alugado numa favela fedorenta. Como era deprimente demais comer ali, vocês costumavam fazer as refeições juntos em restaurantes baratos, tomavam café da manhã no Tom's ou no College Inn, pouco a pouco dando preferência a este por lá haver uma jukebox excelente (Billie Holiday, Edith Piaf), e jantavam todas as noites no Green Tree, um restaurante húngaro na esquina da Amsterdam Avenue com a West 11th Street, onde vocês sobreviviam à base de gulache, vagem e *palačinka* de sobremesa. Por algum motivo, as suas lembranças do que aconteceu naquele apartamento são vagas, mais vagas do que as associadas a outros lugares onde você morou, antes e depois. Foi uma época de pesadelos — muitos pesadelos — que você relembra muito bem (o seminário sobre Montaigne com Donald Frame e o curso sobre Milton com Edward Tayler ainda estão vivos na sua memória), mas o que você lembra melhor agora é uma sensação de descontentamento, um desejo intenso de estar em outro lugar. A Guerra do Vietnã se intensificava, o país estava partido ao meio, e a atmosfera a seu redor estava pesada, quase irrespirável, sufocante. Você se inscreveu junto com Schubert para o programa de estudos do terceiro ano no estrangeiro, em Paris, partiu de Nova York em julho, brigou com o diretor em agosto e abandonou o programa, ficou em Paris até o início de novembro na condição de não estudante, de ex-estudante, morando num hotelzinho barato (sem telefone, sem banheiro no quarto), onde você sentiu que estava voltando a respirar, mas nesse momento você foi convencido a voltar à Columbia, uma medida sensata, pois quem não era estudante estava sendo convocado para o serviço militar, e você era contrário à guerra, mas aquele tempo passado no estrangeiro tinha sido bom para você, e ao voltar para Nova York contra a vontade você constatou que os pesadelos haviam cessado.

8. 601 West 115th Street; Manhattan. Mais uma vez, um apartamento quarto e sala, com uma configuração estranha, quase esquina com a Broadway, mas num prédio bem mais sólido que o anterior, com a vantagem adicional de ter uma cozinha de verdade, que ficava entre o cômodo maior e o menor e era grande o bastante para nela caber (apertada) uma mesa dobrável bem mirrada. Idade, vinte a vinte e dois. O primeiro apartamento em que você morou sozinho, sempre escuro por estar no segundo andar, mas fora isso um lugar adequado, confortável, que satisfazia as suas necessidades do momento. Foi lá que você morou durante o terceiro e o quarto anos de faculdade, que foram os anos loucos de Columbia, marcados por manifestações e protestos, greves estudantis e investidas da polícia, tumultos no campus, expulsões e camburões levando centenas de pessoas para a cadeia. Você, obediente, fez todos os trabalhos do curso, publicou resenhas de filmes e livros no jornal dos alunos, escreveu e traduziu poemas, escreveu vários capítulos de um romance que acabou sendo abandonado, mas em 1968 também participou dos protestos que duraram uma semana inteira e terminou dentro de um camburão, sendo levado para o xadrez nos Tombs. Como já foi dito, há muito tempo que você não brigava mais, e assim não estava disposto a se engalfinhar com os policiais quando eles arrombaram a porta da sala no Mathematics Hall

em que você e alguns outros alunos estavam esperando para serem presos, mas também não estava disposto a cooperar e sair dali andando com seus próprios pés. Você deixou o corpo ficar mole — a estratégia clássica da resistência passiva desenvolvida no Sul no tempo do movimento pelos direitos civis — achando que os policiais iam carregá-lo para fora do recinto sem maiores problemas, mas os membros da patrulha estavam irritados naquela noite, o campus que eles haviam invadido estava se transformando num campo de batalha sangrento, e eles não estavam nem aí para a sua abordagem de não violência, ancorada em princípios elevados. Eles o chutaram e o puxaram pelos cabelos, e quando mesmo assim você se recusou a ficar em pé um deles pisou na sua mão com o salto da bota — um golpe certeiro, que deixou seus dedos inchados e latejando durante dias. Na edição do dia seguinte do *Daily News* saiu uma foto sua, sendo arrastado para o camburão. A legenda dizia: "Garoto teimoso", e sem dúvida você era exatamente isso naquele momento da sua vida: um garoto teimoso, que se recusava a cooperar.

9. 262 West 107th Street; Manhattan. Mais um apartamento quarto e sala com uma cozinha onde cabia uma mesa, porém sem a configuração estranha dos anteriores, um cômodo grande e outro um pouco menor, mas mesmo o menor era amplo, bem diferente dos espaços do tamanho de um caixão dos dois últimos. Era no último piso de um prédio de nove andares entre a Broadway e a Amsterdam Avenue, e por isso era mais claro do que todos os outros apartamentos nova-iorquinos em que você já havia morado, porém o prédio era mais maltratado do que o último, a manutenção estando a cargo de um zelador preguiçoso, errático e alegre, um sujeito atarracado, musculoso, chamado Arthur. Idade, dos vinte e dois até duas semanas após completar vinte e quatro anos, um ano e meio ao todo. Você morou nesse apartamento com a sua namorada, a primeira vez

65

que tanto você quanto ela moraram com uma pessoa do sexo oposto. Naquele primeiro ano, a sua namorada estava concluindo o bacharelado no Barnard College, e você cursava o doutorado em literatura comparada em Columbia, mas estava só fazendo hora, porque sabia desde o início que não ia ficar lá mais do que um ano, porém a universidade lhe havia concedido uma bolsa, e assim você ficou trabalhando na sua dissertação de mestrado, que acabou virando um ensaio de sessenta páginas intitulado "A arte da fome" (um estudo de obras de Hamsun, Kafka, Céline e Beckett), tendo atendimentos de vez em quando com o seu orientador, Edward Said, participando de alguns seminários obrigatórios, faltando às aulas expositivas e continuando a escrever ficção e poesia, começando a publicar em revistas de pequena circulação. Findo o ano, você abandonou o curso, conforme havia planejado, largando a vida de estudante para todo o sempre, e foi trabalhar num navio-tanque da Esso que fazia uma rota entre várias refinarias do golfo do México e da costa do Atlântico — um emprego que pagava um salário decente, dinheiro que você tinha esperança de usar para financiar uma mudança temporária para Paris. Sua namorada encontrou uma pessoa para dividir os gastos do apartamento durante os meses em que você estivesse no exterior: uma moça branca, de fala rápida e mente ágil, que ganhava dinheiro fingindo que era uma DJ negra numa estação de rádio só de negros — com bastante sucesso, pelo visto, o que você achava muito engraçado, mas como não ver essa situação como mais um sintoma daqueles tempos, mais um exemplo da lógica de hospício que imperava na realidade americana? Quanto a você e sua namorada, a tentativa de morar juntos fora um tanto decepcionante, e depois que você terminou seu tempo na marinha mercante e começou a se preparar para a viagem a Paris, os dois decidiram que o romance já havia terminado e que você faria a viagem sozinho. Uma noite, cerca de duas semanas antes da partida, seu estômago se rebelou, e a dor que você sentiu foi tão forte, um ataque tão torturante, tão implacável, que, contorcendo-se na cama, você tinha a sensação de que havia jantado arame farpado. A única explicação plausível era uma crise de apendicite, e se fosse isso, você pensou, seria necessária uma operação imediata. Eram duas horas da madrugada. Você foi cambaleando para o pronto--socorro do St. Luke's Hospital, aguardou uma ou duas horas num sofrimento terrível e então, quando finalmente um médico veio examiná-lo, ele afirmou com toda a segurança que não havia problema nenhum no seu apêndice. O que você estava tendo era uma crise de gastrite mais séria. Tome este remédio, disse ele, evite comida quente e apimentada, que pouco a pouco você vai se sentir melhor. Tanto o diagnóstico quanto a previsão do médico estavam corretas, e foi só depois, muitos anos depois, que você compreendeu o que havia acontecido. Você estava com medo — com medo mas sem saber que estava com medo. A ideia de arrancar suas raízes o deixara num estado de ansiedade extrema, porém totalmente reprimida; a ideia de terminar com a sua namorada era sem dúvida bem mais perturbadora do que você havia previsto. Você queria ir sozinho para Paris, mas uma parte do seu ser encarava com terror essa mudança tão drástica, e assim seu estômago entrou em parafuso e o deixou naquele estado. Essa é a história da sua vida. Sempre que você chega numa encruzilhada, o seu organismo entra em pane, pois ele sempre sabe das coisas que a sua mente não sabe, e seja lá como for que ele resolva entrar em pane, seja mononucleose ou gastrite ou crise de pânico, seu corpo sempre acaba pagando pelos seus temores e conflitos internos, arcando com os golpes que a sua mente não consegue aceitar.

10. 3, Rue Jacques Mawas; 15º Arrondissement, Paris. Mais um apartamento quarto e sala com uma cozinha onde cabia

uma mesa, no terceiro piso de um prédio de seis andares. Idade, vinte e quatro anos. Pouco depois de chegar em Paris (24 de fevereiro de 1971), você começou a voltar atrás na decisão de romper com a sua namorada. Escreveu uma carta para ela, perguntando-lhe se teria coragem de fazer uma segunda tentativa, e quando ela respondeu que sim, sua relação com ela, marcada por coisas boas e coisas más, fins e recomeços, altos e baixos, ganhou continuidade. Ela viria a Paris no início de abril, e nesse ínterim você começou a procurar um apartamento mobiliado (o emprego no navio pagara bem, mas não tanto que desse para comprar móveis), e em pouco tempo encontrou o lugar que queria na Rue Jacques Mawas, limpo, bem iluminado, não muito caro, e com um piano. Como a sua namorada era uma excelente pianista (Bach, Mozart, Schubert, Beethoven), você alugou o apartamento na hora, sabendo que ela ficaria muito feliz ao se dar conta daquele golpe de sorte. Não apenas Paris, mas Paris com um piano. Você fez a mudança, e tendo resolvido todas as coisas básicas (roupa de cama, panelas, pratos, toalhas, talheres), contratou uma pessoa para vir afinar o piano, o qual, sem uso há anos, estava muito desafinado. No dia seguinte veio um homem cego (quase todos os afinadores de piano que você já conheceu são cegos), cinquentão, corpulento, com o rosto branco como cera e olhos virados para cima. Uma presença estranha, você pensou, mas não apenas por causa dos olhos. Era a pele, esbranquiçada, inchada, que parecia esponjosa e maleável, como se ele vivesse em algum lugar subterrâneo e jamais deixasse a luz tocar seu rosto. Com ele veio um rapaz de dezoito ou vinte anos, o qual, segurando-o pelo braço, levou-o da entrada do apartamento até o quarto dos fundos, onde ficava o piano. O rapaz não disse uma palavra durante todo o tempo que esteve lá, e assim você ficou sem saber se era filho, sobrinho, primo ou auxiliar contratado, mas o afinador era um sujeito falante, e quando terminou o serviço fez uma pausa breve para conversar com você. Ele disse: "Estamos na Rue Jacques Mawas, no 15º Arrondissement. É uma rua bem pequena, não é? Só tem uns poucos prédios, se não me engano". Você respondeu que ele estava correto, de fato era uma rua bem pequena. "Engraçado", ele comentou, "eu morei aqui durante a guerra. Naquela época, aqui era um bom lugar para encontrar apartamento." Você perguntou por quê. Ele respondeu: "Porque neste bairro moravam muitos israelitas, mas quando começou a guerra eles foram embora". De início, você não conseguiu registrar o que ele estava tentando lhe dizer — ou então não queria acreditar no que estava ouvindo. A palavra "israelita" talvez o tivesse deixado um pouco perplexo, mas o seu francês era bom o bastante para que você soubesse que o termo era um sinônimo razoavelmente comum de "juif" (judeu), pelo menos para pessoas da geração que tinha vivido a guerra, ainda que, com base na sua experiência, você julgasse que o termo sempre continha algo de pejorativo, não exatamente uma declaração de antissemitismo, e sim uma maneira de distanciar os judeus dos franceses, transformando-os em algo de estrangeiro e exótico, aquele povo curioso, antigo, que viera do deserto com seus costumes esquisitos e seu deus vingativo e primitivo. Por si só, isso já não era nada bom, mas o resto da frase exprimia tamanha ignorância, ou denegação consciente, que você não conseguia decidir se estava conversando com a pessoa mais simplória do mundo ou com um ex-colaborador do regime de Vichy. *Eles foram embora.* Sem dúvida, num transatlântico de luxo, para umas férias de cinco anos ao sol do Mediterrâneo, jogando tênis na costa da Flórida e dançando nas praias da Austrália. Você queria que aquele cego fosse embora, queria retirá-lo da sua frente o mais depressa possível, mas no momento de entregar-lhe o dinheiro não resistiu à tentação de lhe fazer uma última pergunta. "Ah", você perguntou, "e para onde eles foram quando foram embora?" O afinador de piano fez uma pausa, como se buscasse uma resposta, e como não veio resposta alguma sorriu um sorriso amarelo, como se pedindo desculpas. "Não faço ideia", respondeu, "mas a maioria não voltou." Essa foi a primeira das várias lições que você aprendeu naquele prédio a respeito dos franceses — a segunda foi a Guerra dos Canos, que começou duas semanas depois. A tubulação do seu apartamento não era nova, e a descarga da privada, acionada por uma corrente, com uma caixa-d'água no alto, não funcionava direito. Cada vez que se dava a descarga, a água ficava muito tempo escorrendo e fazendo um barulho excessivo. Você não dava atenção àquilo, a água escorrendo era um incômodo de pouca importância, mas pelo visto causava uma turbulência grande no apartamento abaixo do seu, o trovejar de uma banheira enchendo com a torneira aberta no máximo. Você não sabia disso, até o dia em que uma carta foi enfiada embaixo da sua porta. A remetente era a sua vizinha do andar de baixo, uma certa Mme. Rubinstein (o afinador de piano ficaria muito chocado ao saber que na rua onde ele morara durante a guerra ainda havia alguns israelitas vivos), uma carta indignada queixando-se do barulho insuportável dos seus banhos noturnos, e dizendo que ela havia escrito para o proprietário, em Arras, contando o que você andava aprontando, e que se ele não tentasse despejar você imediatamente, ela recorreria à polícia. Você ficou atônito com a violência do tom adotado por ela, perplexo com o fato de ela não ter se dado ao trabalho de bater à sua porta para conversar com você sobre o problema pessoalmente (o método-padrão para resolver atritos entre moradores nos prédios de Nova York), e em vez disso, sem falar com você, já haver entrado em contato com *as autoridades*. Este era o método francês, diferente do americano — uma fé ilimitada nas hierarquias do poder, uma confiança inabalável nos canais da burocracia para corrigir erros e reparar as menores injustiças. Você jamais vira aquela mulher, não fazia ideia de sua aparência, e ela já estava insultando você da maneira mais agressiva, declarando guerra contra algo em que até então você nem havia reparado. Para não ser despejado imediatamente como temia, você escreveu para o proprietário, expôs a sua versão do ocorrido, prometeu que ia consertar a descarga e recebeu uma carta simpática, bem animadora em resposta: Aproveite a juventude, viva e deixe viver, sem se preocupar, mas não exagere na hidroterapia, está bem? (O francês antipático e o francês simpático: nos três anos e meio passados entre eles, você conheceu algumas das pessoas mais frias e mesquinhas que há na face da Terra, mas também algumas das mais calorosas e generosas com que já teve contato.) Por algum tempo a paz imperou. Você ainda não vira a Mme. Rubinstein, mas não veio mais nenhuma queixa do apartamento do andar de baixo. Então chegou a sua namorada de Nova York, e o apartamento silencioso encheu-se do som do piano dela, e como você amava a música mais do que qualquer outra coisa, parecia-lhe inconcebível que alguém não gostasse das obras-primas do repertório pianístico que vinham do terceiro andar. Numa tarde de domingo, porém, uma tarde de domingo particularmente bela no final da primavera, você estava sentado no sofá ouvindo sua namorada tocar os *Moments musicaux* de Schubert, quando um coro de vozes irritadas, histéricas, explodiu no andar de baixo. Os Rubinstein estavam recebendo visitas, e o que as vozes indignadas diziam era: "Impossível! Chega! É a gota d'água!". Então alguém começou a bater com um cabo de vassoura no teto imediatamente abaixo do piano, e uma voz de mulher gritou: "Pare com isso! Pare com essa barulheira infernal agora!". Foi a gota d'água para você também, e com aquela voz ainda gritando do segundo andar, você saiu correndo do apartamento, desceu a escada correndo e bateu — bateu com força — na porta dos Rubinstein. A porta foi aberta três segundos depois (sem dúvida eles ouviram seus passos se aproximando), e você se viu face a face com a até então invisível Mme. Rubinstein, uma mulher atraente na faixa dos quarenta (por que é que sempre imaginamos que as pessoas desagradáveis são feias?), e sem nenhum preâmbulo vocês dois imediatamente entraram num bate-boca a todo volume. Você não era uma pessoa fácil de se irritar, controlava muito bem as suas emoções, costumava fazer qualquer coisa que fosse possível para evitar uma discussão, mas naquele dia em particular você estava possesso, e como a sua raiva parecia ter o efeito de tornar o seu francês muito mais rápido e preciso, vocês dois eram antagonistas de igual competência na arte do combate verbal. A sua posição era a seguinte: temos todo o direito de tocar piano numa tarde de domingo, ou em qualquer tarde, ou em qualquer hora de qualquer dia da semana ou do mês, desde que não seja cedo nem tarde demais. A posição dela era a seguinte: este é um prédio burguês respeitável; se você quer tocar piano, alugue um estúdio; este é um prédio burguês de bom nome, e isso quer dizer que seguimos as regras e nos comportamos de maneira civilizada; barulhos altos são proibidos; quando um detetive da polícia morava no seu apartamento no ano passado, nós conseguimos expulsá-lo do prédio porque ele entrava e saía nas horas mais impróprias; este é um prédio burguês decente; temos um piano no nosso apartamento, mas já o ouviu ser usado alguma vez? Não, claro que não. Os argumentos dela lhe pareceram furados, cheios de clichês e tautologias, afirmações cômicas que pareciam saídas da boca do M. Jourdain de Molière, mas ela os pronunciava com tamanha fúria e com uma convicção tão venenosa que você não tinha vontade de rir. Aquela conversa não estava indo para lugar nenhum, nem você nem ela faziam qualquer concessão, vocês estavam construindo um muro de animosidade permanente a separá-los, e ao pensar como seria desagradável o futuro se continuassem a se embater dessa maneira, você resolveu que havia chegado a hora de jogar a sua cartada decisiva, mudar de todo o rumo da conversa e levá-la para um caminho inteiramente diferente. É uma tristeza, você disse, é muito triste, é patético dois judeus estarem brigando dessa maneira; pense só em todo o sofrimento e toda a mortandade, Mme. Rubinstein, todos os horrores a que nosso povo já foi submetido, e nós dois aqui gritando um com o outro por conta de uma bobagem; nós devíamos ter vergonha do que estamos fazendo. O estratagema funcionou tão bem quanto você esperava. Alguma coisa no seu tom de voz atingiu a mulher, e de repente a batalha cessou. Daquele dia em diante, Mme. Rubinstein deixou de ser uma antagonista. Sempre que você a via na rua ou na entrada do prédio, ela sorria e o saudava com a formalidade polida que tais encontros exigiam: *Bonjour, monsieur*, e você respondia, sorrindo polidamente, *Bonjour, madame*. Era assim a vida na França. As pessoas forçavam a barra por força do hábito, pelo simples prazer de forçar a barra, e continuavam a forçar até que você demonstrasse que estava disposto a reagir com igual força, e nesse momento você conquistava o respeito delas. Levando-se em conta o fato contingente de que tanto você quanto Mme. Rubinstein eram judeus, não houve mais motivo para brigas, e a sua namorada podia tocar piano quando bem entendesse. Você ficou enojado de recorrer a uma tática tão suja, mas aquela cartada funcionou, e a paz se instaurou durante o resto do tempo que você morou na Rue Jacques Mawas.

11. 2, Rue du Louvre; Primeiro Arrondissement, Paris. Um quarto de empregada (*chambre de bonne*) no último pavimento de um prédio de seis andares à margem do Sena. Idade, vinte e cinco anos. O seu quarto ficava nos fundos, e o que você via pela janela era uma gárgula que se projetava do campanário da igreja vizinha — Saint-Germain l'Auxerrois, a mesma igreja cujos sinos ficaram batendo sem interrupção no dia 24 de agosto de 1572,

noticiando o massacre do dia de são Bartolomeu. Olhando para a esquerda, você via o Louvre. Olhando para a direita, via Les Halles, e, mais ao longe, no trecho mais ao norte de Paris, a cúpula branca de Montmartre. Este foi o menor espaço em que você já morou na sua vida, um cômodo tão pequeno que nele só cabiam as coisas mais básicas: uma cama estreita, uma escrivaninha bem pequena com uma cadeira de espaldar reto, uma pia e outra cadeira de espaldar reto ao lado da cama, onde ficava o seu fogão elétrico com uma única boca e a única panela que você possuía, utensílios que serviam para esquentar água para fazer café solúvel e ovos cozidos. A privada ficava no corredor; não havia chuveiro nem banheira. Você morava ali porque estava com pouco dinheiro, e o quarto lhe fora cedido de graça. Este gesto de generosidade extraordinária partira de um casal de amigos, Jacques e Christine Dupin (amigos maravilhosos, cujos nomes merecem ser lembrados para sempre), que moravam num apartamento grande no segundo andar, e como esse prédio era do tempo de Haussmann, ao apartamento deles correspondia um quartinho extra para a empregada no último andar. Você morava sozinho. Mais uma vez, você e a sua namorada não haviam conseguido fazer a coisa dar certo, e mais uma vez tinham terminado. Na época, ela estava morando no oeste da Irlanda, dividindo uma cabana aquecida por turfa com uma ex-colega do colegial, a uns poucos quilômetros de Sligo, e você foi até a Irlanda para tentar voltar com ela, mas seu gesto galante foi em vão, pois o coração dela estava comprometido com um jovem irlandês, e sua chegada coincidiu com o início do relacionamento dos dois (que também acabou não dando em nada), ou seja, foi na hora mais imprópria, e você deixou para trás os morros verdejantes e ventosos de Sligo sem saber se um dia voltaria a vê-la. Você voltou para o seu quartinho, para seu quartinho solitário, aquele quartinho minúsculo que às vezes o impelia a sair à procura de prostitutas, mas seria falso dizer que você foi infeliz nele, pois não foi difícil adaptar-se àquelas circunstâncias reduzidas, era até revigorante constatar que lhe era possível viver sem gastar praticamente nada, e desde que pudesse continuar escrevendo, tanto fazia onde você estivesse morando. Dia após dia, durante todos os meses passados lá, um grupo de operários trabalhava bem à frente do seu prédio, escavando uma garagem subterrânea de quatro ou cinco andares. À noite, sempre que ia à janela e olhava para a terra escavada, para aquele buraco enorme se abrindo embaixo do seu prédio, você via ratazanas, centenas de ratazanas molhadas, lustrosas, correndo pela lama.

12. 29, Rue Descartes; 5th Arrondissement, Paris. Mais um apartamento quarto e sala e cozinha com mesa, no quarto andar de um prédio de seis pavimentos. Idade, vinte e seis anos. Graças a uma série de trabalhos de freelance bem pagos, você conseguira sair da miséria e já estava bem o bastante em matéria de finanças para assinar o contrato de mais um aluguel. Sua namorada havia voltado de Sligo, o tal irlandês já havia sumido do mapa, e novamente vocês dois tentaram morar juntos. Dessa vez as coisas caminharam mais ou menos bem, com alguns percalços no meio do caminho, porém menos graves do que nas tentativas anteriores, de modo que nem você nem ela ameaçaram ir embora. O apartamento da Rue Descartes foi sem dúvida o lugar mais agradável em que você morou em Paris. Até mesmo a *concièrge* era simpática (uma jovem bonita, de cabelo louro curto, casada com um policial, sempre sorridente, sempre fazendo um comentário agradável, bem diferente daquelas bruxas intrometidas e mal-humoradas que costumam cuidar dos prédios parisienses), e você gostava de morar naquele bairro, bem no meio do velho Quartier Latin, numa ladeira que saía da Place de la Contrescarpe, com seus cafés, restaurantes e uma feira animada, barulhenta e teatral. Mas os trabalhos de freelance bem pagos do

ano anterior estavam rareando, e mais uma vez o dinheiro começava a ficar curto. Você calculava que conseguiria permanecer lá até o final do verão, e então teria de voltar para Nova York. No último minuto, porém, a sua estada na França foi inesperadamente prolongada.

13. Saint Martin; Moissac-Bellevue, Var. Uma casa de fazenda no sudeste da Provença. Dois andares, paredes de pedra muitíssimo espessas, telhado de telhas vermelhas, portas e janelas verdes, alguns hectares de campos ao redor da casa, terminando de um dos lados numa floresta que era uma reserva nacional e do outro lado numa estrada de terra: um fim de mundo. Numa das pedras acima da porta da frente estavam gravadas as palavras *L'An VI* — ano seis —, que você entendeu como uma referência ao sexto ano da Revolução; assim, a casa teria sido construída em 1794 ou 1795. Idade, vinte e seis a vinte e sete anos. Você e a sua namorada passaram nove meses trabalhando como caseiros daquela propriedade distante, morando lá do início de setembro de 1973 até o final de maio de 1974, e embora você já tenha escrito a respeito de algumas das coisas que aconteceram com você nessa casa (*O caderno vermelho*, história nº 2), muito do ocorrido não foi mencionado naquelas quinze páginas. Quando você pensa no tempo que passou nessa parte do mundo, o que lhe vem primeiro à lembrança é o ar, os odores de tomilho e lavanda que o envolviam sempre que você caminhava pelos campos ao redor da casa, o ar perfumado, o ar robusto quando o vento soprava, langoroso quando o sol descia até o vale e das pedras saíam lagartos e salamandras para cochilar no calor, e a secura e aspereza do lugar, as pedras cinzentas derretidas, a terra branca de giz, a terra vermelha ao longo de certos caminhos e trechos da estrada, os escaravelhos na floresta a empurrar grandes bolas de esterco, as pegas fazendo voo rasante nos campos e nos vinhedos vizinhos, os rebanhos de carneiros que passavam pelo

prado bem perto da casa, as súbitas aparições de carneiros, centenas de carneiros amontoados, seguindo caminho com seus cincerros a soar, a violência do mistral, as tempestades de vento que se prolongavam por setenta e duas horas ininterruptas, sacudindo todas as vidraças, todos os postigos, todas as portas e todas as telhas soltas do telhado, as giestas amarelas que cobriam as encostas na primavera, as amendoeiras em flor, os pés de alecrim, os carvalhos raquíticos, com troncos retorcidos e folhas reluzentes, o inverno gélido que os obrigou a fechar o andar de cima da casa e viver só nos três cômodos do térreo, com um aquecedor elétrico num deles e uma lareira em outro, as ruínas de uma capela num barranco próximo dali, onde os cavaleiros templários costumavam parar a caminho das cruzadas, o ruído de estática do seu rádio transistor no meio da noite durante duas semanas, quando você tentava captar as transmissões das Forças Armadas americanas para acompanhar o jogo dos Mets contra o Cincinnati no campeonato nacional de beisebol, os Mets contra o Oakland no campeonato internacional, e a chuva de granizo que você relembrou no outro dia — as pedras de gelo batendo contra o telhado de terracota e derretendo no gramado em volta da casa, não tão grandes quanto bolas de beisebol, talvez, porém bolas de golfe para homens de quase três metros de altura —, seguida pela única vez em que caiu neve lá, e por pouco tempo tudo ficou branco, e o seu vizinho mais próximo, um fazendeiro arrendatário, solteiro, que morava sozinho com seu cão trufeiro numa casa amarela caindo aos pedaços, sonhando com a revolução mundial, os pastores bebendo num bar que ficava no alto de um morro em Moissac-Bellevue, mãos e rosto negros de terra, os homens mais sujos que você já viu em toda a sua vida, e todos falando com aqueles erres líquidos do sul da França, aqueles gês finais que transformavam as palavras que significam "vinho" e "pão" em *vaing* e *paing*, os esses que não eram mais pronunciados em nenhuma outra região da França ainda em vigor, de modo que *étrangers* (forasteiros, estrangeiros) virava *estrangers*, e em toda a região pedras e muros pichados com o slogan *Occitanie Libre!*, pois aquela era a terra do *oc* medieval, onde se dizia *oc* e não *oui*, e você e a sua namorada sem dúvida eram *estrangers* naquele ano, mas a vida era bem tranquila naquela região, quando comparada com as formalidades e as tensões de Paris, e você foi muito bem tratado durante todo o tempo que morou no Sul, até mesmo pelo casal burguês presunçoso, que ostentava o nome inverossímil Assier de Pompignon, que de vez em quando convidava vocês para ir à casa deles, na aldeia vizinha de Régusse, para ver um filme na televisão, para não falar nas pessoas que você veio a conhecer em Aups, a sete quilômetros da casa, onde você ia uma vez a cada duas semanas para fazer compras, um vilarejo de três ou quatro mil habitantes que, à medida que o período de isolamento se estendia, passou a lhe parecer uma grande metrópole, e como só havia dois cafés importantes em Aups, um de direita e um de esquerda, você passou a frequentar o café de esquerda, onde era muito bem recebido pelos fregueses habituais, os fazendeiros e mecânicos pobres que votavam no Partido Socialista ou no Comunista, homens barulhentos e falantes que foram ficando cada vez mais apegados aos jovens *estrangers* americanos, e você relembra a noite em que ficou naquele bar assistindo com eles os resultados da eleição presidencial de 1974 pela televisão, disputada por Giscard e Mitterand depois da morte de Pompidou, a hilaridade que terminou em decepção naquela noite, todos bêbados e aplaudindo, todos bêbados e xingando, mas era também em Aups que você tinha um amigo, o filho do açougueiro, mais ou menos da sua idade, que trabalhava no açougue do pai e estava sendo preparado para assumir as rédeas do negócio da família, porém ao mesmo tempo era um excelente fotógrafo, apaixonado por fotografia, que passou aquele ano documentando a evacuação e demolição de uma pequena aldeia que seria inundada quando fosse construída uma represa, o filho do açougueiro, com suas fotos emocionantes, os homens bêbados no bar dos socialistas e comunistas, mas também o dentista de Draguignan, aonde sua namorada foi várias vezes para fazer um tratamento de canal demorado, passando horas sentada naquela cadeira, e quando o tratamento finalmente terminou e ele lhe apresentou a conta, era um total de trezentos francos (sessenta dólares), uma quantia tão ínfima, tão desproporcional ao tempo e esforço que o dentista havia empenhado, que ela lhe perguntou porque ele cobrava tão pouco, e ele respondeu, com um aceno e um leve dar de ombros: "Deixe isso pra lá. Eu também já fui jovem".

14. 456 Riverside Drive; no meio do longo quarteirão entre a West 116th Street e a West 119th Street, Manhattan. Um quarto e sala com uma quitinete microscópica separando os dois cômodos, a cobertura ou o décimo andar da face norte de um prédio de nove pavimentos com vista para o Hudson. "Cobertura" dava uma ideia errada do lugar, pois o seu apartamento, tal como o outro, da face sul, não eram parte estrutural do prédio. A cobertura norte e a cobertura sul na verdade ficavam numa pequena casa de um único piso, independente, com telhado liso, de estuque branco, que se localizava no alto do prédio e parecia uma cabana de camponeses transportada de uma ruazinha de um vilarejo mexicano. Idade, vinte e sete a vinte e nove anos. O espaço interior era apertado, nele mal cabiam duas pessoas (você e a sua namorada continuavam juntos), mas apartamentos baratos em Nova York eram raros, e depois dos três anos e meio passados no exterior, você ficou mais de um mês procurando um lugar para morar, qualquer lugar, e acabou se dando por feliz de ficar naquele poleiro arejado, ainda que apertado. Muita luz, assoalhos reluzentes de tábuas corridas, ventos fero-

zes que vinham do Hudson, e a vantagem adicional de ter um espaçoso terraço em forma de ele, com área igual à do apartamento em si, senão maior. Quando fazia calor, a localização na cobertura atenuava a sensação de claustrofobia, e você jamais se cansava de ir ao terraço para apreciar a vista da frente do prédio: as árvores do Riverside Park, o túmulo de Grant à direita, os carros seguindo pela Henry Hudson Parkway e, acima de tudo, o rio, aquele espetáculo de atividade incessante, a infinidade de barcos e botes que seguiam por aquelas águas, os barcos de carga e os rebocadores, as chatas e iates e lanchas, a regata cotidiana de navios comerciais e barcos de lazer que povoava o rio, o qual, como você logo descobriu, era outro mundo, um mundo paralelo que corria ao lado do pedaço de terra onde você morava, uma cidade aquática bem próxima à cidade de pedras e terra. De vez em quando um gavião desgarrado pousava no telhado, mas os visitantes mais frequentes eram as gaivotas, os corvos e os estorninhos. Numa tarde, pousou junto a sua janela um pombo vermelho (cor de salmão, com pintas brancas), um filhote ferido, curioso e impávido, de olhos estranhos, com bordas vermelhas, e depois que você e sua namorada o alimentaram por uma semana e ele ficou bom o bastante para voltar a voar, o pombo continuou a voltar ao telhado de seu apartamento quase diariamente durante meses, tanto que sua namorada acabou lhe dando um nome, Joey, e assim o pombo Joey virou um animal de estimação, um companheiro que compartilhava o mesmo endereço que vocês até o verão seguinte, quando ele bateu asas pela última vez e foi embora para não voltar mais. Nos primeiros tempos lá, você trabalhava do meio-dia às cinco da tarde para um livreiro especializado em obras raras na rua East Sixty-ninth Street, escrevendo poemas, resenhando livros e lentamente se readaptando aos Estados Unidos, no momento em que o país estava atravessando o escândalo Watergate e a queda de Nixon, sendo portanto

80

um país um pouco diferente daquele do qual você havia partido. No dia 6 de outubro de 1974, mais ou menos dois meses depois da mudança, você e a sua namorada se casaram. Uma pequena cerimônia realizada no apartamento de vocês, depois uma festa dada por um amigo que morava perto, num apartamento muito maior do que o seu. Dadas as frequentes mudanças de ideia que tinham marcado seu relacionamento desde o início, as idas e vindas, os casos com outras pessoas, as separações e reconciliações que se sucediam de modo tão regular quanto as estações do ano, a ideia de se casar àquela altura da vida agora lhe parece uma total loucura de ambas as partes. Na melhor das hipóteses, vocês estavam correndo um risco enorme, apostando que a solidez do vínculo de amizade e as ambições literárias que os uniam conseguiriam fazer com que o casamento viesse a ser diferente das experiências que já tinham tido juntos, mas vocês perderam a aposta, porque estavam destinados a perder, e assim só conseguiram ficar casados por quatro anos, de outubro de 1974 a novembro de 1978. Vocês tinham vinte e sete anos quando sacramentaram a união, e portanto já tinham idade suficiente para ter juízo, talvez, mas ao mesmo tempo nem você nem ela ainda eram totalmente adultos, no fundo continuavam sendo adolescentes, e a triste verdade é que a coisa não tinha nenhuma chance de dar certo.

15. 2230 Durant Avenue; Berkeley, Califórnia. Um pequeno apartamento (quarto e sala e quitinete) em frente ao estádio de futebol da faculdade, de onde dava para ir a pé até o campus. Idade, vinte e nove anos. Inquieto, insatisfeito sem nenhum motivo com que você pudesse atinar, sentindo-se cada vez mais cerceado naquele apartamento minúsculo em Nova York, você foi salvo por uma súbita infusão de dinheiro (uma doação da Fundação Ingram Merrill), que abriu as portas para outras possibilidades, outras soluções para o problema de onde morar e como viver, e achando que havia chegado o momento para dar

uma sacudida na sua vida, você e a sua primeira mulher tomaram um trem em Nova York, saltaram em Chicago e lá pegaram outro trem, seguindo em direção à Costa Oeste, passando pelos intermináveis planaltos de Nebraska, pelas Montanhas Rochosas, pelos desertos de Utah e Nevada, chegando a San Francisco depois de três dias de viagem. Era abril de 1976. A ideia era provar a Califórnia por um ano e meio para ver se você não queria ficar lá em caráter permanente. Amigos não faltavam na região, no ano anterior você havia feito uma viagem para lá e voltara com uma boa impressão, e se resolveu realizar seu experimento em Berkeley e não em San Francisco, foi porque lá os aluguéis eram mais baratos e você não tinha carro, e viver sem carro seria mais fácil naquele lado da baía. O apartamento não era grande coisa, uma caixa de pé-direito baixo com um vago cheiro de mofo quando as janelas estavam fechadas, mas não era inabitável, não era deprimente. Porém você não se lembra de ter tomado a decisão de alugá-lo, porque não muito tempo depois de chegar à cidade, em algum momento da primeira semana, quando estava morando temporariamente na casa de uns amigos, você foi convidado a jogar uma partida de beisebol, e na segunda entrada, estando você de costas para o corredor, bem afastado da linha da base, aguardando que a bola viesse do jardim externo, o corredor fez questão de dar um encontrão em você pelas costas, derrubando-o com um golpe assassino de futebol americano (o esporte errado), e como ele era um homem grandalhão e você não estava esperando aquele baque, o choque jogou a sua cabeça para trás antes de você cair no chão, o que causou uma entorse cervical grave. (O homem que atacou você, famoso por sua falta de espírito esportivo e conhecido por muitos como o "Animal", era um intelectual altamente sofisticado que veio a escrever livros sobre pintura holandesa do século XVII e a traduzir alguns poetas alemães. Veio à tona que ele era ex-aluno de um ex-professor seu, um homem que tanto você quanto ele admiravam muito, e quando ficou sabendo dessa ligação entre vocês, o Animal ficou profundamente arrependido, dizendo que jamais teria feito aquilo se soubesse quem você era. Você nunca compreendeu esse pedido de desculpas. Estaria ele dizendo que apenas os ex-alunos de Angus Fletcher estavam protegidos de seus golpes sujos, mas todos os outros podiam ser vitimados? Até hoje você não consegue entender.) Seus amigos o levaram para o pronto-socorro do hospital local, onde colocaram um colar cervical ajustável no seu pescoço e lhe receitaram doses cavalares do relaxante muscular Valium, uma droga que você jamais tinha tomado e que você espera nunca mais ter de tomar, pois embora atenuasse a dor com muita eficiência, ela o fez mergulhar num estupor mental que durou quase uma semana, apagando a lembrança de tudo que acontecia no instante seguinte, e desse modo alguns dias da sua vida foram excluídos do calendário. Você não se lembra de absolutamente nada que lhe tenha ocorrido durante o período em que usou aquele colarinho de Frankenstein, tomando aquele remédio que provocava amnésia, e assim, ao se mudarem para o apartamento da Durant Avenue, você elogiou sua mulher por ter encontrado um lugar tão bem localizado, embora ela o tivesse consultado muitas vezes antes de a decisão ser tomada pelos dois. Vocês ficaram lá por seis meses, conforme o planejado, mas foi só. A Califórnia tinha muitos pontos positivos, e você adorou a paisagem, a vegetação, o cheiro constante de eucalipto no ar, as neblinas e aqueles banhos de luz que envolviam tudo, mas após algum tempo você começou a sentir saudades de Nova York, da imensidão e do caos de Nova York, pois quanto mais você conhecia San Francisco, mais a cidade lhe parecia pequena e desanimada, e embora não se incomodasse em morar num lugar bem afastado de tudo (os nove meses em Var, por exemplo, foram um período extremamente produtivo), você havia decidido que se fosse morar numa cidade, teria que ser numa cidade grande, a maior de todas, de modo que você aceitava os dois extremos, ou um lugar rural isolado ou uma megalópole, porque ambos lhe pareciam inesgotáveis, mas as cidades pequenas se gastavam depressa demais, e acabavam tornando-o indiferente. Assim, vocês voltaram para Nova York em setembro, para o apartamento com vista para o Hudson (que tinha sido sublocado), e se instalaram nele novamente. Mas não por muito tempo. Em outubro, veio a boa notícia, pela qual você tanto ansiava, de que um filho estava a caminho — o que implicava a necessidade de encontrar um outro lugar para morar. Você queria ficar em Nova York, você não queria abrir mão de Nova York de modo algum, mas a cidade era cara demais, e depois de alguns meses procurando um apartamento que fosse maior mas não caro demais, você aceitou a derrota e começou a procurar casa em outros lugares.

16. 252 Millis Road; Stanfordville, Nova York. Uma casa branca de dois andares no norte do condado de Dutchess. Data de construção desconhecida, porém nem nova nem particularmente velha, ou seja, algo em torno de 1880 e 1910. Dois mil metros quadrados de terra, com uma horta ao fundo, um quintal ensombrecido por pinheiros à frente e um pequeno trecho de floresta entre a sua propriedade e o lote vizinho ao sul. Uma casa um tanto caída, mas não totalmente decrépita, que poderia ser melhorada pouco a pouco desde que houvesse dinheiro, com uma sala de visitas, uma sala de jantar, uma cozinha e um quarto de hóspedes ou escritório no andar de baixo, mais três quartos no de cima. Preço de compra: trinta e cinco mil dólares. Uma casa entre outras numa estrada secundária do interior, com trânsito moderado. Não o isolamento extremo da Provença, mas assim mesmo uma casa no interior, e se por um lado você não conheceu nenhum dentista altruísta nem fazendeiro de esquerda na

região, os seus vizinhos na Millis Road eram cidadãos bondosos e sérios, muitos deles casais jovens com filhos pequenos; você acabou conhecendo todos eles, em grau maior ou menor, mas o que mais lhe ficou na memória a respeito dos seus vizinhos no condado de Dutchess foram as tragédias que ocorreram nessas casas, a mulher de vinte e oito anos que teve esclerose múltipla, por exemplo, o casal de meia-idade enlutado da casa ao lado da sua, cuja filha de vinte e cinco anos tinha morrido de câncer menos de um ano antes, a mãe agora reduzida a pele e osso por se alimentar basicamente de gim, enquanto o marido carinhoso fazia o possível para lhe dar forças, tanto sofrimento por trás das portas trancadas e das persianas baixadas daquelas casas, e entre elas a sua casa também se incluía. Idade, de trinta a trinta e um anos. Uma época deprimente, sem dúvida a época mais deprimente de toda a sua vida, tendo como único evento positivo o nascimento do seu filho em junho de 1977. Mas foi nessa casa que seu primeiro casamento se desfez, foi lá que você viveu apertado por problemas financeiros (conforme o relatado em *Da mão para a boca*), e foi lá que a sua carreira de poeta deu num beco sem saída. Embora não acredite em casas mal-assombradas, quando você relembra aquela época agora a impressão que lhe dá é de ter vivido sob uma maldição, é de que a casa em si era em parte responsável pelos problemas que desabaram sobre você. Por muitas décadas, antes de você se mudar para ela, a casa fora propriedade de duas irmãs solteironas, americanas de origem alemã, chamadas Stemmerman, e quando você adquiriu a propriedade elas estavam velhíssimas, com oitenta e muitos ou noventa e poucos anos, uma delas cega e a outra surda, já instaladas numa clínica geriátrica há quase um ano. Uma vizinha que morava duas casas ao lado foi quem fez as negociações em nome das irmãs — uma mulher cheia de vida que nascera em Cuba, era casada com um americano caladão, mecânico de automóveis, e colecionava pequenos elefantes de vidro (!?) —, e ela lhe contou uma série de histórias a respeito das famigeradas irmãs Stemmerman, as quais, aparentemente, se odiavam e viviam em combate mortal desde a infância, morando juntas a vida toda e no entanto inimigas figadais até o fim, cujas brigas ferozes eram tão barulhentas que as vozes podiam ser ouvidas ao longo de um bom trecho da Millis Road. Quando a vizinha começou a lhe dizer que a irmã surda castigava a cega trancando-a no armário do andar de baixo, você inevitavelmente se lembrou de cenas de romances de terror e daquele filme preto e branco ruim do início dos anos 60, com Bette Davis e Joan Crawford. Engraçado, você pensou, duas personagens grotescas e loucas, mas isso tudo são águas passadas, você e sua esposa grávida estariam levando juventude e vigor à velha casa, e tudo ia mudar — e em momento algum levou em conta o fato de que as Stemmerman tinham morado ali por quarenta ou sessenta anos, talvez setenta ou oitenta anos, e que cada centímetro da casa estava impregnado de suas vibrações malévolas. Você chegou a conhecer a irmã surda um dia na casa da cubana (a velha quase morreu engasgada quando tentou tomar uma xícara de café morno), mas ela lhe pareceu uma figura benigna, e o assunto não lhe voltou mais à mente. Então veio a mudança, e naqueles primeiros dias limpando e mudando os móveis de lugar (alguns dos quais vieram com a casa), você e a sua primeira mulher afastaram um guarda--roupa da parede do corredor do andar de cima e encontraram atrás dele um corvo morto no chão — um corvo que estava morto há muito tempo, inteiramente ressecado, porém intacto. Não, você não achou graça, nem um pouco, e muito embora vocês dois tentassem rir, ambos ficaram pensando naquela ave morta durante meses, aquela ave negra morta, um mau presságio clássico. Na manhã seguinte, vocês encontraram duas ou três caixas de livros na varanda e, por curiosidade, para ver se valia a pena guardar algum deles, você abriu as caixas. E delas você retirou, um por um, panfletos da John Birch Society,* brochuras sobre o complô comunista para infiltrar-se no governo dos Estados Unidos, alguns volumes sobre uma conspiração que colocara fluoreto na água para fazer uma lavagem mental nas crianças do país, panfletos nazistas publicados em inglês antes da guerra e, o mais perturbador de tudo, um exemplar dos *Protocolos dos sábios do Sião*, o livro dos livros, a mais repelente e influente defesa do antissemitismo já escrita. Você nunca se sentira tentado a jogar fora um livro, mas aqueles livros você jogou fora, levou as caixas até o depósito de lixo da cidade e fez questão de enfiá-las embaixo de uma pilha de lixo podre. Era impossível morar numa casa em que houvesse livros assim. Você esperava que a história terminasse ali, mas mesmo depois de jogar os livros fora, continuou sendo impossível morar naquela casa. Você tentou, mas simplesmente não conseguiu.

17. 6 Varick Street; Manhattan. Um quarto no último piso de um prédio industrial de dez andares no bairro hoje conhecido como Tribeca. Um imóvel subsublocado, que lhe foi passado pela ex-namorada de um amigo de infância. Cem dólares por mês pelo privilégio de acampar num antigo depósito de material elétrico, uma sala eviscerada nem um pouco apropriada para a habitação humana, que até pouco tempo antes servira de depósito para o artista que morava no loft em frente. Havia uma pia só com água fria, mas nada de banheira, privada nem cozinha. Condições semelhantes às do seu quarto de empregada na Rue du Louvre em Paris, só que este cômodo era três ou quatro vezes maior do que o parisiense — se bem que também era três ou quatro vezes mais sujo que ele. Idade, trinta e dois anos. Antes de chegar lá, no início de 1979, houve um torvelinho de choques,

---

* Organização norte-americana de extrema direita. (N. T.)

mudanças súbitas e tempestades interiores que fizeram com que sua vida desse uma reviravolta. Sem ter para onde ir, sem dinheiro para pagar uma mudança, ainda que tivesse um lugar para onde se mudar, você permaneceu na casa do condado de Dutchess mesmo depois do fim do casamento, dormindo no sofá-cama que ficava no canto do escritório do andar de baixo, um sofá-cama que, como você se dá conta agora (trinta e dois anos depois), lhe servira de cama na infância. Duas semanas depois, em Nova York, você teve uma revelação, um momento escaldante, epifânico, de clareza, que o fez atravessar uma fenda no universo e lhe permitiu voltar a escrever. Três semanas depois, já imerso no texto em prosa que havia começado a escrever imediatamente após sua ressurreição, sua libertação, seu recomeço, você sofreu a martelada inesperada da morte de seu pai. Sua primeira mulher, para sua eterna gratidão, ficou a seu lado durante os dias e semanas terríveis que se seguiram, o pesadelo das disposições funerárias e questões de herança, dando um destino às gravatas, ternos e móveis do seu pai, cuidando da venda da casa dele (que já estava planejada há algum tempo), ajudando-o a realizar todas as tarefas práticas devastadoras que se impõem após uma morte, e como você não era mais um homem casado, ou só era casado formalmente, e as pressões do casamento haviam cessado, mais uma vez vocês se tornaram amigos, tal como no início do relacionamento. Você começou a escrever a primeira parte de *A invenção da solidão*. Quando se mudou para a Varick Street no início da primavera, já havia conseguido adiantar bastante o texto.

18. 153 Carroll Street; Brooklyn. Um apartamento em que um cômodo dava diretamente para o outro, sem corredor, no terceiro piso de um prédio de quatro andares perto da Henry Street. Idade, trinta e três a trinta e quatro anos. Três cômodos, mais uma cozinha com mesa e um banheiro. O quarto, com janela de

frente para a rua, era grande o bastante para nele caberem uma cama de casal para você e uma de solteiro para o seu filho (o mesmo sofá-cama em que você dormia quando criança, recuperado depois da venda da casa em Stanfordville). Dos dois cômodos que ficavam no meio, um, sem janela, foi convertido num escritório improvisado; o outro era a sala (com uma janela que dava para o jardim); depois vinha a cozinha (uma janela) e o banheiro nos fundos — tudo feio e malconservado, sem dúvida, mas bem melhor do que o lugar onde você morava antes. Você perdeu o quarto na Varick Street em janeiro de 1980 (o artista entregou o loft ao proprietário), e quando os aluguéis em Manhattan se tornaram caros demais para um apartamento em que coubessem tanto você quanto o seu filho de dois anos e meio (que ficava na sua casa três dias por semana), você atravessou o East River e começou a procurar casa no Brooklyn. Por que não pensou nisso em 1976? foi a pergunta que lhe veio à mente. Sem dúvida, era uma solução melhor do que se deslocar cento e cinquenta quilômetros para o norte e comprar uma casa mal-assombrada no condado de Dutchess, mas o fato é que a ideia de morar no Brooklyn sequer lhe passou pela cabeça naquela época, pois para você Nova York era Manhattan e só Manhattan, as outras partes da cidade lhe pareciam tão estranhas quanto os países distantes da Oceania ou o Círculo Polar Ártico. Você acabou ficando em Carroll Gardens, um bairro italiano fechado onde a maioria das pessoas fazia questão de impedir que você se sentisse em casa, tratando-o com desconfiança e olhares enviesados, como se você fosse um intruso entre eles, um *estranger*, mesmo que você pudesse passar por italiano, mas sem dúvida havia algo de errado em você, no seu jeito de se vestir, talvez, ou de andar, ou simplesmente a expressão em seus olhos. Vez após vez, por quase dois anos, caminhando pela Carroll Street a caminho do seu apartamento, as velhas sentadas na entrada das casas interrompiam a conversa quando você passava, olhavam-no sem dizer palavra, e os homens que estavam parados sem fazer nada adquiriam uma expressão vazia, ou então olhavam embaixo do capô do carro e examinavam o motor com tamanha persistência e dedicação que pareciam filósofos a procurar alguma verdade essencial sobre a existência humana, e as mulheres só acenavam para você com a cabeça quando seu filho pequeno, um menino louro, caminhava a seu lado, mas fora essas ocasiões era como se você fosse um fantasma, o homem que não estava ali porque não tinha nada que estar ali. Felizmente os proprietários do seu prédio, John e Jackie Caramello, um casal de trinta e poucos anos que morava no apartamento do térreo, com um jardim nos fundos, eram afáveis e simpáticos, e jamais demonstraram o menor ressentimento em relação a você, mas eles eram da sua faixa etária, e não estavam mais remoendo os ressentimentos da geração dos pais. A tia de Joey Gallo* morava no seu quarteirão, havia clubes na Henry Street onde os velhos passavam o tempo durante o dia, e se Carroll Gardens era considerado o bairro mais seguro da cidade, era porque ali imperava uma correnteza subterrânea de violência, a violência da retaliação, a ética da máfia. Os negros evitavam aquele enclave muito bem guardado, sabendo que corriam risco se pusessem o pé dentro daquelas fronteiras, uma lei jamais escrita da qual você talvez não tomasse conhecimento se não assistisse ao cumprimento dela com seus próprios olhos um dia, quando caminhava pela Court Street numa tarde ensolarada de outono, e um rapaz negro alto e magro, carregando um rádio do outro lado da rua, foi atacado por três ou quatro adolescentes brancos, que o socaram até sair sangue, espatifaram seu rádio batendo com ele na calçada, e antes que você pudesse fazer

---

* Notório mafioso (1929-72). (N. T.)

alguma coisa o rapaz negro foi embora, trôpego, começando a correr quando os rapazes brancos gritaram *nigger* para ele, dizendo-lhe que nunca mais voltasse ali. Numa outra ocasião você teve oportunidade de intervir. Era uma tarde de domingo, no final da primavera, você seguia pela Carroll Street em direção à estação de metrô na Smith Street e parou por alguns minutos para assistir a uma partida de hóquei no asfalto do Carroll Park, e viu, pendurada na cerca de arame que havia em torno do parque, uma grande bandeira nazista, vermelha, branca e preta. Você entrou no parque, encontrou o garoto de dezesseis anos que havia colocado aquela bandeira na cerca (era o responsável pelo equipamento de um dos times) e mandou-o retirá-la de lá. Perplexo, sem compreender por que você lhe estava dizendo aquilo, ele ouviu-o explicar o significado daquela bandeira, e quando você falou nos horrores de Hitler e no massacre de milhões de inocentes, ele pareceu ficar realmente constrangido. "Eu não sabia", ele disse. "É que eu achei ela legal." Em vez de lhe perguntar em que mundo ele vivia, você esperou que ele retirasse a bandeira e continuou a caminhar em direção ao metrô. Por outro lado, Carroll Gardens tinha algumas vantagens, em particular a comida — as padarias, os açougues de carne de porco, o vendedor de melancias que no verão atravessava o bairro numa carroça puxada por um cavalo, o café moído na hora no D'Amico's e os cheiros intensos e gostosos que lhe invadiam as narinas todas as vezes que você entrava naquela loja, mas Carroll Gardens foi também o lugar em que você fez a pergunta mais idiota de toda a sua vida adulta. Você estava no seu apartamento uma tarde, trabalhando na segunda metade de *A invenção da solidão* no seu escritório sem janela, quando ouviu um vozerio barulhento vindo da rua. Você desceu para ver o que estava acontecendo, e lá estava todo o quarteirão na calçada, aglomerados de homens e mulheres em frente a seus prédios, vinte conversas animadas acontecendo ao mesmo tempo, e lá estava o seu senhorio, John Caramello, um homem grandalhão, na varanda da entrada do prédio, calmamente contemplando a comoção. Você perguntou o que estava acontecendo, e ele respondeu que um homem recém-saído da prisão estava invadindo casas e apartamentos vazios do quarteirão e roubando coisas — joias, talheres de prata, qualquer coisa de valor que encontrasse —, porém fora apanhado antes que tivesse tempo de fugir. Foi aí que você fez a pergunta, pronunciando as palavras famosas que provavam que você era um idiota completamente desinformado, que continuava a não entender nada a respeito daquele pequeno mundo em que estava vivendo: "Vocês chamaram a polícia?". John sorriu. "Claro que não", respondeu. "A rapaziada encheu ele de porrada, quebrou as pernas dele com um taco de beisebol e largou ele dentro de um táxi. Esse não volta mais aqui — se quiser continuar vivo." Assim foram os seus primeiros tempos no Brooklyn, onde você está morando há trinta e um anos, e nesse período de transição da sua vida, que começou com o fim do seu casamento e a morte do seu pai, os nove meses passados na Varick Street e os primeiros onze meses em Carroll Gardens, um tempo marcado por pesadelos e conflitos interiores, com períodos de esperança alternando-se com momentos de desespero, passando pela cama de várias mulheres, mulheres que você tentava amar, quase conseguia mas não chegava a amar, convicto de que nunca mais se casaria, trabalhando no seu livro, traduzindo Joubert e Mallarmé, trabalhando na sua imensa antologia de poesia francesa do século XX, cuidando do seu filho de três anos, um menino confuso e às vezes agressivo, e com tantas coisas acontecendo ao mesmo tempo, entre elas o infarto quase fatal do segundo marido da sua mãe apenas dez dias após o enterro do seu pai, e as noites passadas no hospital, seis meses depois, vendo seu avô entrar num declínio rápido e morrer, provavelmente era inevitável que seu corpo voltasse a entrar em parafuso, dessa vez o coração, uma irregularidade cardíaca que de repente, inexplicavelmente, fazia-o bater de modo acelerado dentro do seu peito, as crises de taquicardia que vinham à noite, no momento exato em que você estava adormecendo, ou que o acordavam logo após adormecer, quando você estava sozinho no quarto com seu filho ou deitado ao lado de uma mulher adormecida, fosse Ann, Françoise ou Ruby, o coração batendo freneticamente, ressoando dentro da sua cabeça, uma percussão tão alta e insistente que a impressão era a de que os barulhos vinham de algum lugar naquele quarto, um problema de tireoide, como você ficou sabendo depois, que deixou todo o seu organismo fora de esquadro e o obrigou a tomar remédios por dois ou três anos. Então, no dia 23 de fevereiro de 1981, vinte dias após você completar trinta e quatro anos, e apenas quatro dias depois que ela completou vinte e seis anos, você a conheceu, você foi apresentado a Ela, à mulher que está com você desde aquela noite, o grande amor que o pegou de emboscada quando você menos esperava, e nas primeiras semanas que passaram juntos, quando ficavam a maior parte do tempo na cama, vocês criaram um ritual de ler histórias de fadas um para o outro, coisa que continuaram fazendo quando sua filha nasceu seis anos depois; e não muito tempo depois que vocês descobriram os prazeres íntimos de ler um para o outro, sua mulher escreveu um longo poema em prosa intitulado "Lendo para você", cuja seção final, a de número 14, evoca o ritmo errático do seu coração, sendo o cenário o quarto do seu apartamento no terceiro andar de 153 Carroll Street: *O pai cruel manda o filho bobo ir para a floresta para ser morto, mas o assassino não tem coragem de matá-lo e o solta, levando para o pai o coração de um veado em lugar do coração do menino, e esse menino fala com os cães e as rãs e os pássaros, e no final as pombas sussurram em seus ouvidos, as palavras da missa, as repetições insistentes em seus ouvidos, e em algum outro lugar eu sussurro nos teus ouvidos, mensagens, mensagens minhas para ti, sobre os vãos atrás dos teus joelhos e cotovelos, e a marca acima do teu lábio superior, mensagens minhas para ti, mesmo que não estejas por perto. Eu sussurro como os pássaros da história que li para ti, repetições no quarto onde me possuíste. As partes são as mesmas, porém mudam, estão sempre em movimento, sofrendo mudanças imperceptíveis, como a expressão do teu rosto, o sorriso que se transforma num ar de seriedade, debruçado sobre mim à luz débil. Assim, eu te desejo uma história ao lê-la, ao escrevê-la. Nós herdamos histórias também, doenças, rostos, corações, bexigas, fracos e adoecidos. O coração dele está cercado de água, está se afogando, o coração doente, o coração doído, a parte adoecida, o ritmo medido em ti que às vezes é rápido demais, e por isso tomas remédios para torná-lo mais lento, para torná-lo adequado e ritmado, e não aleatório e escorregadio como tantas outras coisas. Eu te desejo uma história na qual pendurem a lua depois que morrerem os velhos para que ela brilhe para sempre sobre ti, e não pare de brilhar mesmo não tendo luz própria, e sendo uma luz emprestada e cíclica. Vou tomar a lua, o empréstimo, o roubo, a mudança de grande para pequeno. A lua mais pequenina, fina e fraca por trás de uma nuvem de inverno, é a vista que escolho.*

19. 18 Tompkins Place; Brooklyn. Os dois andares superiores de um prédio de arenito pardo de quatro pisos, numa rua de um só quarteirão onde todos os prédios são quase idênticos, em Cobble Hill, o bairro situado entre Carroll Gardens e Brooklyn Heights. Idade, de trinta e quatro a trinta e nove anos. A menos de um quilômetro de 153 Carroll Street, porém um mundo muito diferente, com uma população mais misturada e variada do que aquele enclave étnico onde você havia passado os últimos vinte e um meses. Não era um duplex separado da metade inferior do prédio, e sim dois andares independentes: o de cima, com pé-direito mais

baixo, tinha uma cozinha bem pequena, uma sala de jantar espaçosa que emendava numa sala de visitas, e também um pequeno escritório para a sua mulher; no de baixo, com pé-direito mais alto, havia um quarto de casal pequeno, um quarto maior para o seu filho e um escritório para você, do mesmo tamanho que o da sua mulher no andar de cima. A distribuição de espaços era um tanto errática, porém era o maior apartamento que você já havia alugado, e ficava num quarteirão de grande beleza arquitetônica: todos os prédios eram da década de 1860, com lampiões a gás acesos à noite à frente de cada porta, e quando a neve cobria o chão no inverno você tinha a impressão de que havia voltado ao século XIX, de que se fechasse os olhos e aguçasse os ouvidos escutaria cavalos passando na rua. Você se casou naquele apartamento num dia de muito calor em junho, num daqueles dias quentes e nublados no início do verão em que uma tempestade se forma ao longe, junto do horizonte, e o céu escurece de modo imperceptível à medida que as horas se sucedem, e assim que vocês foram declarados marido e mulher, no instante exato em que você abraçou sua esposa e a beijou, a tempestade finalmente explodiu, um trovão tremendo soou imediatamente acima da cabeça de vocês, sacudindo as janelas da casa, sacudindo o chão que você pisava, e todos os presentes levaram um susto, pois era como se os céus anunciassem o seu casamento ao mundo. Um *timing* extraordinário, dramático, que não queria dizer nada, e no entanto parecia significar tudo, e pela primeira vez na vida você teve a impressão de estar participando de um evento cósmico.

20. 458 Third Street, apartamento 3R; Brooklyn. Um apartamento comprido e estreito que ocupava metade do terceiro andar de um prédio de quatro pisos em Park Slope. Da sala via-se a rua à frente, depois vinha uma sala de jantar e uma cozinha compacta, ao lado das quais havia um corredor forrado de livros que levava a três pequenos quartos nos fundos. Idade, quarenta a

quarenta e cinco anos. Quando você se mudou para o apartamento anterior, na Tompkins Place, o senhorio, que morava no andar de baixo, lhe avisou que não daria para vocês ficarem ali para sempre, pois mais cedo ou mais tarde ele e sua família iriam ocupar a casa toda. Você deve ter entendido o que ele disse, mas depois de passar lá cinco anos e um mês, o lugar onde você havia morado por mais tempo desde a infância na Irving Avenue, a ideia de ser obrigado a sair dali pouco a pouco foi saindo da sua consciência, e como os anos passados em Tompkins Place tinham sido os mais felizes, os mais gratificantes da sua vida até aquele momento, você simplesmente se recusava a encarar a realidade. Então, em novembro de 1986 — exatamente uma semana depois que sua mulher descobriu que estava grávida —, o senhorio educadamente avisou que havia chegado a hora, e que seu contrato de aluguel não seria renovado. Este aviso foi muito inesperado, e como você nunca mais queria se ver em tal situação, não suportava a ideia de no futuro ser deslocado de novo para outro lugar, você e sua mulher começaram a procurar um lugar para comprar, um apartamento que pertenceria a vocês, para que daí em diante vocês ficassem protegidos dos caprichos de terceiros. A crise da Bolsa de 1987 só viria a ocorrer onze meses depois, e o boom imobiliário de Nova York estava no auge, os preços subiam a cada semana, a cada dia, a cada minuto de cada dia, e como era limitado o dinheiro disponível para fazer o pagamento à vista, o jeito foi comprar um imóvel que estava um pouco aquém das suas necessidades. O apartamento da Third Street era bonito, de longe o mais bonito de todos os lugares que vocês haviam examinado durante o período de busca, mas era muito pequeno para uma família de quatro pessoas, especialmente quando os dois adultos eram escritores, que não apenas iriam morar naquele espaço como também trabalhar. Os três quartos já tinham destino: um para o casal, um para o seu filho (que ainda morava com você metade do tempo) e um para a sua filha recém-nascida, e até mesmo o maior dos três, o quarto do casal, era acanhado demais para que nele coubesse uma escrivaninha. Sua mulher propôs se instalar num canto da sala de visitas, e você encontrou um estúdio bem pequeno num prédio residencial na Eighth Avenue, a um quarteirão e meio de 458 Third Street (ver seção 20A). Ou seja: muito apertado, uma solução longe do ideal, mas mesmo assim não era nenhuma tragédia. Tanto você quanto a sua mulher preferiam a animação de Park Slope às ruas tranquilas de Cobble Hill, e quando vocês começaram a passar o verão no sul de Vermont (três meses por cinco anos consecutivos — ver seção 20B), não havia praticamente motivo nenhum para reclamar, ainda mais quando você se lembrava de alguns dos lugares horrendos onde havia morado no passado. Num prédio em que todos os moradores eram proprietários, havia mais contato íntimo com os vizinhos do que em qualquer outra moradia, anterior ou posterior, algo que de início lhe proporcionou certa preocupação, mas não havia nenhuma Mme. Rubinstein no seu prédio, nenhum conflito duradouro em nenhuma das frentes, e as reuniões que você era obrigado a frequentar eram relativamente curtas e descontraídas. Havia seis famílias, quatro delas com filhos pequenos, e como entre os membros da comissão havia um arquiteto, um empreiteiro e um advogado, os seus vizinhos se preocupavam em manter a saúde física e financeira do edifício. Sua esposa, que atuou como secretária durante os cinco anos que vocês moraram ali, era quem redigia as atas de cada reunião — relatórios divertidos e irônicos que eram muito bem recebidos por todos. Eis alguns trechos:

> 19/10/87. INSETOS: Este tema altamente desagradável foi abordado pelos participantes da reunião com a maior delicadeza. O eufemismo "problema" foi usado por pelo menos um morador.

Marguerite chegou a falar em "centenas de filhotes". Dick recomendou um produto chamado COMBAT. Siri reforçou a recomendação. Sugeriu-se também que se pedisse à firma de dedetização que mudasse o veneno. Então, com um suspiro de alívio, os condôminos mudaram de assunto.

7/3/88. A CERCA: Os alunos de Theo orçaram a cerca em quinhentos dólares. Alguns dos moradores acharam o preço exorbitante; outros, não. Houve um consenso vago — um consenso tão vago, tão fraco, que talvez nem mereça ser chamado de consenso — no sentido de que se os alunos de Theo prometessem fazer um bom serviço, eles levariam os quinhentos dólares. Mas isso não é garantido...

18/10/88. QUESTÃO NÃO RESOLVIDA: Houve um momento de hesitação. Os moradores presentes conseguiriam remontar ao passado e lembrar qual era mesmo a tal questão não resolvida? O presidente resolveu o problema com uma cópia da ata da última reunião.

22/2/90. TETO DO 3R: Paul informa o grupo de que o teto do apartamento 3R está prestes a desabar. Expressões assustadas surgem no rosto dos outros moradores. Sua esposa, a secretária da reunião, tenta tranquilizá-los afirmando que o marido é um tanto exagerado. Afinal, ele ganha o pão criando ficções, e às vezes essa imersão no mundo da imaginação acaba afetando o outro mundo, que à falta de nome melhor chamamos de Mundo Real. Que fique registrado nos anais que o teto do 3R não está prestes a desabar, e que os moradores do referido apartamento já tomaram as medidas necessárias no sentido de garantir que tal não venha a ocorrer. Os pintores vão resolver o pequeno problema observado...

28/3/90. TETO DO 3R: Estava desabando mesmo! Os pintores que reformaram o apartamento, deixando-o em condições aceitáveis, confirmaram a previsão pessimista de Paul. Era apenas uma questão de tempo para que o teto desabasse sobre nossa cabeça.

17/6/92. INUNDAÇÃO: O porão do prédio está se inundando. Lloyd tem toda a razão quando afirma que ou bem consertamos o vazamento ou bem fazemos uma criação de trutas no porão. A obra está estimada entre cem e 850 dólares, dependendo do que tiver de ser feito. Concordamos que os preços mais baixos são melhores que os mais altos e que devemos começar bem embaixo, com a Roto--Rooter. O cavalheiro da Roto-Rooter, amigo, conhecido ou pelo menos alguém com quem Lloyd tem alguma familiaridade, é Raymond Clean,* nome que inspira confiança, levando-se em conta a natureza de seu trabalho, e que pode muito bem, sabe-se lá, até ter motivado o sr. Clean a abraçar essa profissão.

15/10/92. JANELAS E CRIME: Joe, o homem das janelas, foi formalmente acusado de apropriar-se de cem dólares de propriedade da secretária e de não atender o telefone. É possível que ele tenha abandonado o país. Theo e Marguerite também o acusam de NÃO CONSERTAR o mecanismo de contrapeso de suas janelas, pois elas pararam de correr de novo após uma semana. Os moradores se perguntaram até onde é possível se ir com cem dólares. Talvez seja necessário procurá-lo em Hoboken.**

3/12/92. Fora dos espaços internos do prédio em 458 Third Street, o tempo estava frio e úmido naquela noite, pois o inverno havia chegado. Terminamos a reunião num tom melancólico. Marguerite fez relatos a respeito de Chipre, com um toque inconfundível de saudade na voz. Nesse lugar exótico, o clima é quente, a luminosidade é forte e as roupas secam nas sacadas em dez minutos. [...] E é assim que são as coisas. Sempre há um outro lugar onde faz sol, as roupas secam depressa, não há homens das janelas, nem manutenção, nem indenizações por acidentes de trabalho, nem porões inundados...

---

* "Clean" significa "limpo". (N. T.)
** Cidade de Nova Jersey, separada de Manhattan pelo rio Hudson. (N. T.)

14/1/93. INDENIZAÇÕES: A questão de se devemos ou não pagar os funcionários do prédio por acidentes de trabalho chegou ao momento decisivo. Decidimos que não. Aconteça o que acontecer: dedos quebrados na máquina de escrever, pescoços estrangulados num fio de telefone durante uma ligação no horário de trabalho, cabeças, pernas e braços quebrados por efeito de excesso de vinho numa reunião. Vamos ter de viver com o problema, tal como outrora. Vamos pôr a culpa no destino. Vamos economizar cerca de cinquenta dólares, e cinquenta dólares são cinquenta dólares.

20A. 300 Eighth Avenue, Apartment 1-I; Brooklyn. Um estúdio, um cômodo único no térreo de um prédio residencial de seis andares, localizado nos fundos, dando vista para um poço de ventilação e um muro de tijolo. Maior que o quarto de empregada da Rue du Louvre, menos que a metade do tugúrio da Varick Street, porém equipado com privada e banheira, além de diversas instalações de cozinha numa das paredes: pia, fogão e frigobar, os quais você raramente usava, pois aquele espaço era para trabalhar e não para morar (nem para comer). Uma escrivaninha, uma cadeira, uma estante de metal e dois armários; uma lâmpada nua pendurada no meio do teto; um aparelho de ar condicionado numa das janelas, que você ligava ao chegar de manhã para abafar os ruídos do prédio (posição REFRIGERAR no verão; VENTILAR no inverno). Ambiente espartano, sem dúvida, mas o ambiente nunca foi importante para o seu trabalho, pois o único espaço que você ocupa quando escreve seus livros é a página à sua frente, e o cômodo em que você está sentado, os diferentes cômodos em que você ficou sentado nesses quarenta e tantos anos lhe parecem praticamente invisíveis no momento em que você escreve com a caneta no papel do seu caderno, ou transcreve o que escreveu antes numa página em branco na sua máquina de escrever, a mesma máquina que você usa desde que voltou da França em 1974, uma máquina portátil Olympia comprada de segunda mão de um amigo por quarenta dólares — uma relíquia que ainda funciona, produzida numa fábrica da Alemanha Ocidental há mais de meio século, que sem dúvida continuará funcionando depois da sua morte. Você gostava do número do seu estúdio, 1-I, por lhe parecer simbolicamente apropriado: o eu único, a pessoa solitária fechada naquele bunker sete ou oito horas diárias, um homem silencioso isolado do resto do mundo, dia após dia sentado à sua mesa com o único fim de explorar o interior de sua própria cabeça.

20B. Windham Road; West Townshend, Vermont. Uma casa de dois andares, forrada de ripas brancas (construída por volta de 1800), no alto de uma ladeira íngreme de terra batida, a cinco quilômetros da cidadezinha de West Townshend. De junho a agosto, de 1989 a 1993. Pela modesta quantia de mil dólares por mês, você escapava do calor tropical de Nova York e do confinamento do seu apartamento pequeno demais para a família e refugiava-se na serra, no sul de Vermont. Um quintal gramado, de mil metros quadrados, à frente da casa; mato cerrado bem ao lado do quintal, estendendo-se por quilômetros afora; mais floresta do outro lado da estrada de terra; uma pequena lagoa perto dali; uma construção anexa na divisa do terreno. Tirando uma pia e um fogão barato e velho na cozinha, não havia nenhum tipo de amenidade: nem máquina de lavar roupas, nem máquina de lavar pratos, nem televisão, nem banheira. A comunicação telefônica era feita através de uma extensão; o sinal de rádio era esporádico, na melhor das hipóteses. Recém-pintada por fora, por dentro a casa estava caindo aos pedaços: assoalhos empenados; tetos deformados; exércitos de camundongos nos armários e cômodas; papel de parede medonho, com manchas de umidade, nos quartos; mobília toda desconfortável — camas cheias de calombos e mossas; cadeiras bambas; e um sofá duro, sem almofadas, na sala de visitas. Ninguém morava mais lá. A ex-proprietária, já falecida, uma velha solteirona sem herdeiros imediatos, havia deixado a casa para os filhos de vários amigos seus, oito homens e mulheres que moravam em diferentes regiões do país, da Califórnia à Flórida, mas nenhum em Vermont, nem em qualquer outra parte da Nova Inglaterra. Estavam de tal modo dispersos e distantes que não podiam fazer nada a respeito da casa, não conseguiam entrar em acordo sobre o que fazer com ela — vendê-la, reformá-la ou demoli-la — e deixaram a propriedade aos cuidados de um corretor imobiliário local. A última moradora, uma jovem que instalara ali uma plantação de maconha e ganhara um bom dinheiro, utilizando uma gangue de motoqueiros barra-pesada como vendedores, estava agora cumprindo uma longa pena na prisão. Depois que ela foi presa, a casa ficou vazia por uns dois anos, e quando você e sua mulher a alugaram na primavera de 1989, tendo visto apenas uma foto dela por fora (tão bonita), vocês não faziam ideia de onde estavam se metendo. Sem dúvida, você dissera ao corretor que estavam procurando alguma coisa distante, que a palavra "rústico" não os assustava nem levantava quaisquer objeções, mas muito embora ele tivesse avisado que a casa não estava em perfeitas condições, vocês não imaginavam encontrar um casebre em petição de miséria. Você lembra como foi a primeira noite passada lá, perguntando a si próprio em voz alta se seria possível aguentar todo o verão num lugar como aquele, mas sua mulher absorveu o choque com mais tranquilidade do que você, dizendo-lhe que fosse paciente, que esperasse uma semana, mais ou menos, antes de decidir abandonar o navio, que a coisa poderia acabar sendo bem melhor do que você imaginava. Na manhã seguinte, ela entrou numa atividade frenética, esfregando, lavando e desinfetando, escancarando janelas para arejar quartos abafados, jogando fora cortinas rasgadas e colchões deteriorados, limpando o fogão e o forno enegrecidos, jogando fora o lixo e reorganizando os armários da cozinha, varrendo, espanando e polindo; no sangue dela ferviam as virtudes escandinavas de seus ancestrais desbravadores de fronteiras, enquanto você ia com seus cadernos e sua máquina de escrever para o galpão anexo, uma espécie de cabana de construção mais recente, que a moça traficante e seus amigos motoqueiros haviam depredado e transformado num depósito de móveis quebrados, telas de janelas rasgadas e paredes cobertas de grafites, um lugar além de qualquer esperança ou salvação, e pouco a pouco você fez o que pôde no sentido de limpar aquela bagunça, livrar-se das coisas quebradas, lavar o chão forrado de linóleo rachado, e dois dias depois você pôde instalar-se numa mesa de madeira verde no cômodo da frente e retomar o romance que estava escrevendo, e assim que começou a se situar naquele espaço, a ocupar a casa que a sua mulher havia redimido da imundície e do caos, você se deu conta de que gostava de estar ali, que o que de início parecera um quadro de sordidez absoluta e irremediável na verdade era apenas um estado de dilapidação e desuso, e que você conseguia conviver com assoalhos tortos e tetos abaulados, podia aprender a ignorar os defeitos da casa porque não era a sua casa, e pouco a pouco foi reconhecendo as muitas vantagens que o lugar oferecia: o silêncio, o frescor do ar de Vermont (era preciso usar uma suéter de manhã, mesmo nos dias mais quentes), as caminhadas pela floresta à tarde, o espetáculo da sua filhinha correndo nua no quintal, o isolamento e a tranquilidade que permitiam que você e a sua mulher trabalhassem sem interrupções. E assim vocês passaram a voltar todos os verões, comemorando lá o segundo aniversário de sua filha, o terceiro, o quarto, o quinto, o sexto, e por fim começaram a pensar até mesmo em comprar a casa, a qual não teria custado muito, bem menos do que qualquer outra casa num raio de muitos quilômetros, mas ao pensar nos gastos que seriam necessários para reformar aquela ruína, impedir que ela desabasse e morresse, vocês se deram conta de que não tinham condições financeiras de bancar uma tal operação, e que se algum dia tivessem dinheiro suficiente, vocês o usariam para mudar-se daquele apartamento pequeno demais na Third Street para um lugar mais espaçoso onde morar em Nova York.

21. Algum lugar em Park Slope; Brooklyn. Uma casa de arenito pardo, quatro andares, com um jardim pequeno nos fundos, construída em 1892. Idade, de quarenta e seis anos até agora. Sua mulher partiu de Minnesota no outono de 1978 para fazer o doutorado em literatura inglesa na Universidade Columbia. Escolheu Columbia porque queria morar em Nova York, havia recusado bolsas maiores, mais monumentais, oferecidas por Cornell e Michigan para morar em Nova York, e quando você a conheceu em fevereiro de 1981 ela já era uma nova-iorquina veterana, inveterada, uma pessoa que não podia mais imaginar a possibilidade de morar em algum lugar que não fosse Manhattan. Então ela se juntou a você e acabou indo morar no sertão urbano do Brooklyn. Talvez não se lamentasse disso, mas o fato é que o Brooklyn nunca estivera em seus planos, e agora que vocês dois estavam decididos a procurar outro lugar para morar, você disse a ela que não tinha tanto apego ao Brooklyn a ponto de não querer sair de lá, e se ela quisesse voltar para Manhattan você procuraria um lugar por lá com ela com todo o prazer. Não, ela respondeu, sem sequer parar para pensar, vamos ficar no Brooklyn. Ela não apenas não queria voltar para Manhattan como fazia questão de permanecer no mesmo bairro onde vocês estavam morando. Felizmente, a essa altura a bolha do mercado imobiliário já havia estourado, e muito embora isso implicasse que o apartamento comprado por um valor tão alto tivesse de ser vendido agora abaixo do preço que vocês haviam pagado, a casa que vocês compraram estava dentro das suas posses — ou um pouqui-

104

nho além delas, mas não tanto que causasse dificuldades prolongadas. Vocês levaram um ano até encontrá-la, e mais seis meses desde o dia em que fecharam o negócio até poderem fazer a mudança, mas feito isso a casa pertencia a vocês, finalmente um lugar grande o suficiente para toda a família, todos os quartos e escritórios de que vocês precisavam, todo o espaço nas paredes para guardar os milhares de livros que vocês possuíam, uma cozinha bem grande onde se podia respirar, banheiros bem grandes onde se podia respirar, um quarto de hóspedes para amigos e parentes, um deque de madeira atrás da cozinha para tomar um drinque e fazer uma refeição nos dias de calor, um pequeno jardim, e pouco a pouco, no decorrer dos dezoito anos em que você está morando lá, muito mais tempo do que você passou em qualquer outro endereço, três vezes mais tempo do que você morou em qualquer outro lugar, foi possível consertar e melhorar cada centímetro de cada cômodo de cada andar, e uma casa velha e um tanto caída foi transformada em algo de belo e reluzente, um lugar que lhe proporciona prazer cada vez que você entra lá, e depois de dezoito anos você há muito tempo não pensa mais em outras casas e em outros bairros, outras cidades, outros países. É aqui que você mora, e é aqui que quer continuar morando até chegar o dia em que não possa mais subir e descer as escadas. Não, mais ainda: até que não possa nem mesmo se arrastar escada acima e abaixo, até você ser levado ao túmulo.

Vinte e um endereços permanentes desde o nascimento até agora, embora "permanente" talvez não seja a palavra adequada, quando se leva em conta o número de mudanças que você fez ao longo da vida. Vinte lugares de pouso, então, duas dezenas de endereços até chegar àquele que pode ou não acabar sendo permanente, e no entanto, muito embora você tenha montado acampamento nesses vinte e um apartamentos e casas, neles tenha pagado as contas de gás e luz, e feito o registro eleitoral para votar, seu corpo nunca ficou parado por muito tempo, e quando você abre o mapa do seu país e começa a contar, constata que já pôs os pés em quarenta dos cinquenta estados, às vezes apenas de passagem (é o caso de Nebraska, numa viagem de trem à costa do Pacífico em 1976), mas no mais das vezes em estadas de alguns dias ou semanas ou mesmo meses — por exemplo, em Vermont, ou na Califórnia, onde você não apenas morou meio ano como também esteve esporadicamente depois que a sua mãe e seu padrasto se mudaram para lá no início dos anos 70, para não falar das vinte e cinco ou vinte e sete viagens que fez a Nantucket, as visitas feitas todos os verões ao seu amigo que tem uma casa na ilha, nunca menos de uma semana por ano, o que daria ao todo mais ou menos seis meses, nem nos muitos meses que passou em Minnesota com sua mulher, os dois verões inteiros que morou lá quando os pais dela estavam na Noruega, as inúmeras viagens feitas na primavera e no inverno dos anos 80 até a primeira década deste século, talvez cinquenta vezes ao todo, ou seja, mais do que um ano da sua existência, juntamente com as frequentes viagens a Boston desde a adolescência, as longas viagens pelo sudoeste em 1985 e 1999, os diversos portos na costa do golfo do México, no Texas e na Flórida, onde o seu navio-tanque fazia escala no tempo em que você trabalhava na marinha mercante, nos anos 70, as vezes em que você atuou como escritor visitante em lugares como Filadélfia, Cincinnati, Ann Arbor, Bowling Green, Durham e Normal, Illinois, as viagens de trem a Washington, DC, quando você estava trabalhando no National Story Project para a NPR,* os quatro meses

---

* National Public Radio, rede nacional de estações de rádio culturais. (N. T.)

de colônia de férias em New Hampshire quando você tinha oito e dez anos de idade, as três estadas prolongadas em Maine (1967, 1983 e 1999), sem esquecer as idas semanais a Nova Jersey entre 1986 e 1990, no tempo em que você lecionava em Princeton. Quantos dias você passou fora de casa, quantas noites dormiu em camas que não eram suas? Não apenas aqui nos Estados Unidos mas também no exterior, pois quando abre o atlas e olha para o mapa do mundo você constata que já esteve em todos os continentes, menos a África e a Antártida, e mesmo se deixar de lado os três anos e meio vividos na França (onde, temporariamente, houve vários endereços permanentes), suas viagens ao estrangeiro foram frequentes e por vezes bem prolongadas: mais um ano na França em diversas viagens tanto antes quanto depois do tempo em que você morou lá, cinco meses em Portugal (a maior parte do tempo em 2006, quando você rodou seu último filme), quatro meses no Reino Unido (Inglaterra, Escócia e País de Gales), três meses no Canadá, três meses na Itália, dois meses na Espanha, dois meses na Irlanda, um mês e meio na Alemanha, um mês e meio no México, um mês e meio na ilha Bequia (nas Granadinas), um mês na Noruega, um mês em Israel, três semanas no Japão, duas semanas e meia na Holanda, duas semanas na Dinamarca, duas semanas na Suécia, duas semanas na Austrália, nove dias no Brasil, oito dias na Argentina, uma semana na ilha de Guadalupe, uma semana na Bélgica, seis dias na República Tcheca, cinco dias na Islândia, quatro dias na Polônia e dois dias na Áustria. Você gostaria de fazer a conta para saber quantos dias passou viajando para esses lugares (isto é, quantos dias, semanas ou meses), mas você não saberia por onde começar, você já perdeu a conta das viagens que fez nos Estados Unidos, não faz ideia de quantas vezes saiu do país, e portanto jamais conseguiria chegar a um número exato ou aproximado que lhe dissesse quantas milhares de horas da sua vida foram passadas indo de um lugar ao outro, indo de lá para cá e voltando, a imensidão de tempo que você passou sentado em aviões, ônibus, trens e carros, o tempo gasto tentando combater os efeitos do jet lag, o tédio de aguardar que seu voo fosse anunciado no aeroporto, o tédio mortal de ficar parado diante da esteira esperando que a sua mala finalmente aparecesse, mas nada lhe parece mais desconcertante do que a viagem de avião em si, a sensação estranha de não estar em lugar nenhum que o domina cada vez que você entra na cabine, a irrealidade de ser transportado no espaço a uma velocidade de oitocentos quilômetros por hora, tão distante do chão que você começa a perder a sensação de sua própria realidade, como se a sua própria existência estivesse pouco a pouco vazando, mas é esse o preço que você paga para sair de casa, e enquanto continuar a viajar, o lugar nenhum que fica entre o aqui de seu lar e o lá de algum outro lugar continuará a ser um dos lugares onde você mora.

Você gostaria de saber quem é. Tendo muito pouco em que se basear, você parte do pressuposto de que é o produto de grandes migrações pré-históricas, de conquistas, estupros e sequestros, que as interseções longas e complexas da sua horda ancestral se estenderam por muitos territórios e reinos, pois você não é a única pessoa que viajou, afinal, há dezenas de milhares de anos que tribos humanas circulam pela Terra, e quem há de saber quem gerou quem gerou quem gerou quem gerou quem gerou quem até dar nos seus pais, que geraram você em 1947? Você só consegue recuar até os seus avós, tendo umas poucas informações a respeito dos seus bisavós maternos, o que significa que as gerações que vieram antes deles não passam de um espaço em branco, um vácuo de conjecturas e hipóteses infundadas. Seus quatro avós eram judeus da Europa Oriental; os avós paternos nasceram no final da década de 1870 na cidade de Stanislav, na Galícia, então uma província atrasada do Império Austro-Húngaro, posteriormente parte da Polônia após a Primeira Guerra Mundial, depois integrada à União Soviética após a Segunda Guerra Mundial, atualmente parte da Ucrânia, desde o fim da Guerra Fria; já seus avós maternos nasceram em 1893 e 1895, a sua avó em Minsk e o seu avô em Toronto — um ano depois que a família dele emigrou de Varsóvia. Suas duas avós eram ruivas, e nos dois lados da sua família há uma mistura confusa de traços físicos nos muitos descendentes que vieram depois deles, desde cabelos negros até louros, desde pele escura até pele bem clara e sardenta, desde cabelos crespos e ondulados até lisos, desde corpos de camponeses atarracados, de pernas grossas e dedos curtos, até os contornos ágeis e alongados de outros corpos. É o pool genético da Europa Oriental, mas quem há de saber por onde andaram aqueles fantasmas sem nome antes de se instalarem nas cidades da Rússia, da Polônia e do Império Austro-Húngaro? Pois como explicar o fato de que a sua irmã nasceu com uma mancha mongólica nas costas, algo que só ocorre com bebês asiáticos, e como explicar o fato de que você, com sua pele escura, cabelo ondulado e olhos cinza-esverdeados, no decorrer da vida escapou de todas as identificações étnicas, tendo ouvido de desconhecidos que você certamente seria italiano, grego, espanhol, libanês, egípcio e até mesmo paquistanês? Por não fazer ideia da sua origem, há muito tempo você decidiu que é uma combinação de todas as raças do hemisfério oriental, uma mistura de africano com árabe com chinês com indiano com caucasiano, um crisol de numerosas civilizações em choque num único corpo. Essa decisão é, entre outras coisas, uma posição moral, uma maneira de não responder nenhuma pergunta a respeito de raça, que, na sua opinião, é descabida, uma pergunta que não pode senão desabonar aquele que a formula, e assim você decidiu conscientemente ser todo mundo, abraçar a todos que existem dentro de si para poder ser o que você é de modo mais integral e livre, pois a questão de quem é você é um mistério, e você não tem nenhuma esperança de que ele algum dia seja resolvido.

Seu aniversário chegou e passou. Sessenta e quatro anos agora, já bem perto da terceira idade, época de receber os benefícios do Medicare e da Social Security, época em que um número crescente de amigos seus vão partir. Muitos já se foram — mas agora é que começa um verdadeiro dilúvio. Para alívio seu, a efeméride passou sem nenhum incidente nem comoção, você encarou a coisa com equanimidade, um jantarzinho com os amigos no Brooklyn, e você raramente para para pensar na idade avançada que já atingiu. Três de fevereiro, um dia após o aniversário da sua mãe, que entrou em trabalho de parto na manhã do dia em que completou vinte e dois anos, dezenove dias antes do previsto, e quando o médico retirou você com um fórceps do corpo anestesiado dela era meia-noite e vinte, menos de meia hora após terminar o dia do aniversário dela. Assim, vocês dois sempre comemoraram o aniversário juntos, e mesmo agora, quase nove anos após a morte de sua mãe, é inevitável que você se lembre dela sempre que o relógio mostra a passagem do dia 2 para o 3 de fevereiro. Que presente inesperado você não deve ter sido para ela naquela noite, sessenta e quatro anos atrás: um menino como presente de aniversário, um nascimento para comemorar o dia do nascimento dela.

Maio de 2002. No sábado, a conversa telefônica longa e animada com a sua mãe, no final da qual você se vira para sua mulher e diz: "Há anos que ela não parece tão feliz". No domingo, sua mulher vai para Minnesota. Foi programada uma grande comemoração dos oitenta anos do pai dela no fim de semana seguinte, e ela vai a Northfield para ajudar a mãe com os preparativos. Você fica em Nova York com sua filha, ela está com catorze anos e não pode perder aula, mas é claro que vocês dois também vão para Minnesota no dia da festa, e já estão com as passagens reservadas para sexta-feira. Na expectativa do evento, você compôs um poema humorístico, todo rimado, em homenagem a seu sogro — pois agora esse é o único tipo de poema que você ainda escreve, bagatelas frívolas para aniversários, casamentos e outras ocasiões familiares. A segunda-feira começa e termina, e tudo que aconteceu nesse dia se apagou da sua memória. Na terça-feira, você tem uma reunião marcada para a uma da tarde com uma mulher francesa de vinte e tantos anos que está morando em Nova York há alguns anos. Ela foi contratada por uma editora francesa para escrever um guia turístico da cidade, e por gostar dela e a considerar uma escritora promissora, você marcou uma conversa sobre Nova York, achando que é pouco provável que alguma coisa que você tenha a lhe dizer venha a ser útil para aquele projeto, mas mesmo assim acha que não custa tentar. Ao meio-dia, você está diante do espelho do banheiro com o rosto coberto de creme de barbear, prestes a pegar o aparelho e começar a se tornar apresentável para a entrevista, mas antes que você tenha tempo de cortar o primeiro fio de barba o telefone toca. Você vai ao quarto para atendê-lo, segurando o fone sem jeito para não cobri-lo de creme de barbear, e a voz que está do outro lado da linha está chorando, a pessoa que ligou está num estado de extrema comoção, e pouco a pouco você se dá conta de que é Debbie, a moça que faz a limpeza do apartamento da sua mãe uma vez por semana e de vez em quando a leva de carro para resolver pequenas incumbências, e o que Debbie está dizendo é que ela acabou de entrar no apartamento e encontrou a sua mãe na cama, o corpo da sua mãe na cama, o cadáver da sua mãe na cama. Ao ouvir essa notícia, você sente todas as suas entranhas se esvaziarem. Você se sente petrificado, eviscerado, incapaz de pensar, e embora essa seja a última coisa que você esperava ouvir naquele momento (*Há anos que ela não parece tão feliz*), a notícia que Debbie lhe deu não o deixa surpreso, nem aparvalhado, nem chocado, nem mesmo incomodado. O que deu em você?, você se pergunta. Sua mãe acaba de morrer e você se transforma num pedaço de madeira. Você diz a Debbie que fique onde está a sua espera, que você vai para lá o mais depressa possível (Verona, Nova Jersey — perto de Montclair), e uma hora e meia depois já está no apartamento da sua mãe, olhando para o cadáver dela na cama. Você já viu alguns cadáveres no passado, já conhece a inércia dos mortos, a imobilidade desumana que envolve o corpo das pessoas que não estão mais vivas, mas nenhum desses cadáveres anteriores era o da sua mãe, nenhum outro cadáver era do corpo em que a sua própria vida começou, e você só consegue olhar alguns segundos, depois é obrigado a desviar a vista. A palidez azulada de sua pele, os olhos semicerrados fixos no nada, um ser extinto deitado por cima da colcha, de camisola e roupão de banho, o jornal de domingo espalhado à sua volta, uma perna nua pendendo da beira da cama, um pouco de baba esbranquiçada endurecida num canto da boca. Você não consegue olhar para ela, recusa-se a olhar para ela, acha insuportável olhar para ela, e no entanto mesmo depois que os paramédicos a levam embora numa padiola, dentro de um saco de plástico preto, continua a não sentir nada. Você não chora, não uiva de angústia, não se lamenta — sente apenas uma vaga sensação de horror crescendo dentro de si. A sua prima Regina está com você agora, prima-irmã da sua mãe, ela veio de carro da casa dela, em Glen Ridge, perto dali, para lhe dar uma mão, ela é filha do único irmão do seu avô, cinco ou seis anos mais moça do que a sua mãe, sua prima em segundo grau, uma das poucas pessoas dos dois lados da família com quem você tem alguma identificação, artista, viúva de um artista também, a moça boêmia que fugiu do Brooklyn no início dos anos 50 para morar em Greenwich Village, e ela fica com você o dia todo, ela e a filha crescida, Anna, as duas o ajudam a organizar os pertences e papéis da sua mãe, conversam com você enquanto você resolve o que fazer com uma pessoa que morreu sem deixar testamento e que jamais falou sobre o que gostaria que fizessem com ela ao morrer (enterro ou cremação, funeral ou não), ajudando-o a fazer listas de todas as tarefas práticas que é bom encarar logo de uma vez, e naquela noite, depois do jantar num restaurante, elas o levam para a casa delas e o instalam no quarto de hóspedes. Sua filha está na casa de amigas em Park Slope, a sua mulher está com os pais em Minnesota, e depois de uma longa conversa telefônica com ela depois do jantar você não consegue dormir. Você comprou uma garrafa de uísque para lhe servir de companhia, e assim fica sentado numa sala no andar de baixo até as três ou quatro da manhã, tomando meia garrafa de Oban e tentando pensar na sua mãe, mas sua mente continua tão entorpecida que você não consegue formular pensamento algum. Ideias soltas, inconsequentes, e nada de lágrimas, nenhum impulso de chorar a morte da sua mãe com uma exibição sincera de dor e pesar. Talvez lhe dê medo pensar no que pode acontecer se você der rédeas às emoções, medo de que se você se permitir começar a chorar depois talvez seja impossível parar, de que a dor seja tão esmagadora que vá reduzi-lo a frangalhos, e por não querer correr o risco de perder o controle você contém a dor, engole a dor, enterra-a no coração. Você sente falta de sua mulher, nunca sentiu tanta falta dela desde que se casaram, pois ela é a única pessoa que o conhece bem o bastante para fazer as perguntas certas, que tem confiança e compreensão suficientes para fazê-lo revelar coisas a respeito de si próprio que muitas vezes estão além da sua própria compreensão, e seria muito melhor estar deitado na cama com ela agora em vez de sentado sozinho numa sala escura às três da madrugada com uma garrafa de uísque. Na manhã seguinte, suas primas continuam a lhe dar apoio e a ajudá-lo a fazer as coisas que têm de ser feitas, a ida à agência funerária, a escolha de uma urna para as cinzas (depois de consultar sua mulher, a irmã da sua mãe e a sua prima, a decisão unânime foi fazer a cremação sem funeral, e realizar uma cerimônia em memória dela depois do verão), os telefonemas para o homem da imobiliária, o homem do carro, o homem dos móveis, o homem da televisão a cabo, todos os homens com quem você tem de entrar em contato a fim de vender, desconectar, livrar-se de coisas, e então, após um longo dia imerso no miasma cinzento do *nada*, elas o levam de carro até sua casa no Brooklyn. Vocês pedem comida pelo telefone e jantam com a sua filha, você agradece a Regina por ter *salvado a sua vida* (palavras textuais suas, pois você realmente não sabia o que teria feito sem ela), e depois que elas vão embora você fica algum tempo conversando com a sua filha, mas por fim ela sobe para o quarto e agora que se vê sozinho outra vez, novamente você resiste ao chamado do sono. A segunda noite é uma repetição da primeira: sentado sozinho numa sala escura com a mesma garrafa de uísque, que você bebe até o fim desta vez, e tal como antes não chora, não formula nenhum pensamento coerente, não sente nenhuma inclinação a se deitar. Depois de muitas horas, a exaustão por fim o derruba, e você vai se deitar às cinco e meia, com o dia raiando lá fora e os passarinhos já começando a cantar. Você pretende dormir o máximo possível, dez ou doze horas se conseguir, sabendo que o esquecimento é a única cura que lhe resta, mas logo depois das oito, quando você está dormindo há apenas duas horas e meia, mais ou menos, dormindo o tipo de sono que só os bêbados dormem — *profondamente, stupidamente* —, o telefone toca. Se o telefone estivesse do outro lado do quarto, o mais provável é que você não o tivesse ouvido, mas ele está na mesa de cabeceira, ao lado do seu travesseiro, a menos de trinta centímetros da sua cabeça, a vinte e tantos centímetros do seu ouvido direito, e depois de ele tocar muitas vezes (você jamais saberá quantas), seus olhos se abrem involuntariamente. Durante os primeiros segundos de semiconsciência, você se dá conta de que nunca se sentiu tão mal na vida, de que o seu corpo não é mais o corpo que você está acostumado a chamar de seu, de que este corpo novo e alheio foi martelado por uma centena de marretas de madeira, arrastado por cavalos por uma extensão de cem quilômetros num terreno coberto de pedras e cactos, reduzido a um monte de poeira por um bate-estaca de cem toneladas. Sua corrente sanguínea está de tal modo saturada de álcool que você sente o cheiro saindo pelos seus poros, e todo o quarto fede a mau hálito e uísque — uma emanação fétida, mefítica, nojenta. Se você quisesse alguma coisa agora, se um desejo seu lhe fosse concedido, mesmo que ao preço de dez anos de vida, você pediria para simplesmente fechar os olhos de novo e voltar a dormir. E no entanto, por motivos que jamais compreenderá (força do hábito? consciência do dever? convicção de que quem está ligando é a sua mulher?), você rola para o lado da mesa de cabeceira, estende o braço e atende o telefone. É uma de suas primas, uma prima-irmã por parte de pai, dez anos mais velha do que você, uma pessoa moralista, briguenta, a última pessoa no mundo com quem você desejaria falar agora, mas tendo atendido o telefone não dá para colocá-lo no gancho, ainda mais agora que ela está falando, falando, falando, quase não deixando uma brecha para que você diga alguma coisa, uma oportunidade de interromper aquela conversa. Como é possível, você pergunta a si mesmo, uma pessoa falar tão depressa assim? É como se ela tivesse praticado a arte de falar sem respirar, jorrar parágrafos inteiros num único fôlego, uma verborragia enorme sem pontuação, sem necessidade de parar de vez em quando para inspirar um pouco de ar. Ela deve ter pulmões enormes, você pensa, os maiores pulmões do mundo, e uma energia, uma compulsão ardente de fazer o comentário final e decisivo sobre todos os assuntos. Você já teve muitas brigas com essa prima, a começar com a publicação de A invenção da solidão, em 1982, livro que para ela constituía uma traição por revelar os segredos da família Auster (a sua avó assassinou seu avô em 1919), e daí em diante você foi transformado num pária, tal como a sua mãe foi transformada numa pária depois que ela e seu pai se divorciaram (motivo pelo qual vocês resolveram não fazer um funeral para ela — para não ter que convidar certos membros do clã para a cerimônia), mas ao mesmo tempo essa prima não é uma pessoa burra, ela se formou com todas as honras acadêmicas, é uma psicóloga de sucesso com muitos pacientes, uma pessoa ativa, cheia de energia, que sempre faz questão de dizer a você quantos amigos dela leram seus romances, e é verdade que ela fez algumas tentativas de melhorar as relações com você ao longo dos anos, tentativas de corrigir os danos provocados por suas agressões ferozes contra o seu livro há vinte anos, mas mesmo agora, que ela afirma admirá-lo, assim mesmo ainda há certo rancor nela, uma animosidade que está sempre por trás de todas as suas tentativas de aproximação, seus gestos nunca são totalmente uma coisa nem outra, e a relação entre vocês é cheia de complicações, pois ela tem problemas de saúde, está se tratando de câncer há algum tempo, e você não consegue deixar de sentir pena dela, e como ela se deu ao trabalho de lhe telefonar, você quer lhe dar o benefício da dúvida, conceder-lhe ao menos este telefonema curto e protocolar, para depois virar-se para o outro lado e adormecer de novo. De início, ela faz todos os comentários apropriados. Que coisa mais súbita, inesperada, você certamente não estava preparado, e pense só na sua irmã, sua pobre irmã esquizofrênica, o que vai ser dela agora sem a mãe? Isso basta, você pensa, é mais do que bastante como demonstração da boa vontade e das condolências dela, e você espera poder desligar o telefone daqui a mais uma ou duas frases, pois os seus olhos estão se fechando, você está absolutamente arrasado de tanto cansaço, e se ela simplesmente parasse de falar nos próximos segundos você sem nenhuma dificuldade voltaria a mergulhar no sono mais profundo. Mas sua prima está apenas começando, apenas arregaçando as mangas e cuspindo nas mãos, por assim dizer, e nos cinco minutos que se seguem ela lhe fala das lembranças mais antigas que tem da sua mãe, como ela só tinha nove anos e sua mãe também era muito jovem, só vinte ou vinte e um anos, e como era emocionante ter uma tia nova e bonita na família, tão amorosa, tão cheia de vida, e assim você continua escutando, você não tem forças para interrompê-la, e daí a pouco ela já mudou de assunto, você não sabe como foi que ela chegou lá, mas de repente se dá conta de que ela está lhe falando a respeito do seu hábito de fumar, implorando para que você pare de fumar, de uma vez por todas, senão você vai adoecer e morrer, morrer de uma morte terrível ainda jovem, e quando você estiver morrendo você vai ficar cheio de remorsos por ter buscado *sua autodestruição* de modo tão irresponsável. Ela já está falando há nove ou dez minutos, e você começa a temer que depois não vá conseguir voltar a dormir, pois quanto mais ela fala, mais você sente que está sendo puxado de volta para a consciência, e uma vez atravessada aquela linha não será possível voltar atrás. Você não vai conseguir sobreviver com apenas duas horas e meia de sono, no estado em que está, com o sangue ainda tão cheio de álcool, vai ficar arrasado durante o dia todo, mas muito embora se sinta cada vez mais tentado a pôr o fone no gancho, você não consegue realizar o ato. Então vem o ataque total, a fuzilaria verbal que era de se esperar desde o momento em que você atendeu o telefone. Que ingenuidade sua, achar que tudo se resumiria a palavras de apoio e admoestações quase histéricas! Ainda falta discutir a questão do caráter da sua mãe, e muito embora o corpo dela só tenha sido descoberto há dois dias, muito embora o crematório de Nova Jersey tenha programado cremar seu corpo nesta exata tarde, isso não impede sua prima de jogar pesado. Trinta e oito anos depois de sua mãe largar o seu pai, a família codificou sua ladainha de queixas contra ela, aquilo já se tornou uma espécie de história ancestral, fofocas antigas que se transformaram em fatos concretos, e por que não fazer o inventário de todos os pecados dela mais uma última vez — para despachá-la devidamente para o lugar aonde ela merece ir? Nunca estava satisfeita, diz a sua prima, sempre procurava outra coisa, flertava o tempo todo, uma mulher que vivia e respirava para atrair a atenção dos homens, obcecada por sexo, devassa, uma mulher que dormia com qualquer um, uma esposa infiel — que pena, uma pessoa com tantas outras boas qualidades ser assim tão desregrada. Você sempre desconfiou que a família do seu pai falasse sobre a sua mãe nesses termos, mas até aquele momento nunca tinha ouvido nada com seus próprios ouvidos. Você resmunga alguma coisa no fone e o põe no gancho, jurando nunca mais dizer uma única palavra à sua prima o resto da vida. Dormir agora está fora de questão. Apesar da exaustão sobrenatural que o reduziu a uma situação de quase insensibilidade, coisas demais dentro de você foram remexidas, seus pensamentos disparam em todas as direções, a adrenalina voltou a circular no seu organismo, e seus olhos se recusam a fechar-se. Não há nada a fazer senão levantar-se e dar início ao dia. Você desce e prepara um café, o café mais forte, mais escuro que já preparou nos últimos anos, calculando que, se se encharcar de cafeína em doses cavalares, conseguirá elevar-se a uma condição semelhante à consciência, uma consciência parcial, que lhe permitirá atravessar o resto da manhã e a tarde como um sonâmbulo. Você toma a primeira xícara lentamente. O café está quentíssimo e é necessário bebê-lo em pequenos goles, mas aos poucos ele começa a esfriar, a segunda xícara desce mais depressa do que a primeira, a terceira mais rápido do que a segunda, e gole a gole o líquido se espalha em seu estômago vazio como se fosse um ácido. Você sente a cafeína acelerando os batimentos do seu coração, agitando os seus nervos, começando a acendê-lo. Agora você está desperto, plenamente desperto e no entanto ainda exausto, exaurido mas cada vez mais alerta, e na sua cabeça há um zumbido que não estava lá antes, um som mecânico e grave, um zum--zum, um gemido, como se emitido por um aparelho de rádio distante, não sintonizado, e quanto mais café você bebe, mais seu corpo se modifica, menor a sensação de que você é feito de carne e osso. Você está se transformando em alguma coisa metálica, um mecanismo enferrujado que simula a vida humana, um composto de fios e fusíveis, enormes circuitos de fios controlados por impulsos elétricos aleatórios, e agora que você terminou a terceira xícara de café, você serve mais uma — que acaba sendo a última, a dose letal. O ataque começa ao mesmo tempo de dentro e de fora, uma sólida sensação de pressão vinda do ar que o cerca, como se uma força invisível estivesse tentando empurrá--lo para trás na cadeira e derrubá-lo no chão, mas ao mesmo tempo há uma leveza insólita na sua cabeça, um estrépito vertiginoso a bater-se contra as paredes do seu crânio, e o tempo todo o meio exterior continua a pressioná-lo, enquanto o interior se esvazia, cada vez mais escuro e vazio, como se você estivesse prestes a desmaiar. Em seguida o seu pulso se acelera, a impressão é de que o coração está tentando arrebentar o peito, e no instante seguinte não há mais ar nos seus pulmões, você não consegue mais respirar. É nesse momento que o pânico o domina, e o seu corpo se desliga e você cai no chão. Em decúbito dorsal, você sente o sangue parar de fluir nas veias, e pouco a pouco seus membros transformam-se em cimento. É nesse momento que você começa a urrar. Agora você é feito de pedra, e deitado no chão da sala de jantar, rígido, a boca aberta, incapaz de mexer-se e de pensar, você urra de terror, esperando que seu corpo mergulhe nas águas negras e profundas da morte.

Você não conseguia chorar. Não conseguia manifestar sua dor como fazem as pessoas normalmente, e por isso o seu corpo entrou em pane para manifestar a dor por você. Se não fossem os diversos fatores incidentais que precederam a crise de pânico (a ausência da sua mulher, o álcool, a falta de sono, o telefonema da sua prima, o café), é possível que o ataque não tivesse acontecido. Mas no final das contas esses elementos são de importância apenas secundária. A questão é esta: por que você não conseguiu se soltar nos minutos e horas que se seguiram à morte da sua mãe? Por que, por dois dias inteiros, não conseguiu derramar lágrimas por ela? Seria porque uma parte do seu ser certamente estava feliz por ter ela morrido? Um pensamento negro, tão negro e perturbador que só de expressá-lo você é dominado pelo medo, mas mesmo se estiver disposto a admitir a possibilidade de que ele seja verdadeiro, não lhe parece que isso explique por que você não chorou. Você também não chorou após a morte do seu pai. Nem quando morreram os seus avós, nem quando morreu a prima que você mais amava, de câncer na mama, aos trinta e oito anos, nem quando morreram tantos amigos ao longo dos anos. Nem mesmo aos catorze anos de idade, quando estava a menos de meio metro de um menino que foi atingido e morto por um

120

raio, um menino ao lado de cujo cadáver você ficou uma hora sentado, num descampado encharcado de chuva, tentando desesperadamente aquecer seu corpo e reanimá-lo porque não compreendia que ele estava morto — nem mesmo aquela morte monstruosa foi capaz de lhe arrancar uma única lágrima. Seus olhos ficam rasos d'água quando você assiste a certos filmes, suas lágrimas já caíram em páginas de muitos livros, você já chorou em momentos de muito sofrimento pessoal, mas a morte o deixa imobilizado, desligado, subtraindo-lhe todas as emoções, todo afeto, toda a ligação com seu próprio coração. Desde o início, você fica como morto diante da morte, e foi isso que aconteceu também no caso da morte da sua mãe. Pelo menos nos primeiros instantes, nos primeiros dois dias e noites, mas depois um raio caiu de novo, e você foi incinerado.

Deixe para lá o que sua prima lhe disse ao telefone. Você ficou zangado com ela, sim, horrorizado ao ver que ela era capaz de denegrir sua mãe num momento tão impróprio, revoltado com sua atitude malévola, seu desprezo de santarrona por uma pessoa que jamais lhe fez nada de mau, mas as acusações de infidelidade que ela levantou contra sua mãe àquela altura já não eram novidade para você, e mesmo que não tivesse nenhuma prova, nada que provasse ou negasse aquelas acusações, há muito tempo você já suspeitava que *talvez* sua mãe tivesse cometido alguns deslizes durante o casamento com seu pai. Você tinha cinquenta e cinco anos quando teve essa conversa com a sua prima, e já tendo tido tanto tempo para pensar nos detalhes do casamento infeliz de seus pais, na verdade até torcia para que sua mãe tivesse mesmo encontrado algum conforto em outro homem (ou outros homens). Mas não havia nenhuma certeza, e apenas uma vez você teve a percepção de que talvez houvesse alguma coisa errada, um único momento, quando você estava com doze ou treze anos, que o deixou completamente perplexo na época: entrando em casa um dia ao chegar da escola, pensando que não havia ninguém lá, você pegou o telefone para fazer uma ligação e ouviu uma voz de homem na linha, uma voz que não era a do seu pai, dizendo apenas *até logo*, uma expressão absolutamente neutra, talvez, mas dita com muita ternura, e depois sua mãe dizendo a ele: *até logo, querido*. Fim da conversa. Você não fazia ideia do contexto, não conseguira identificar o homem, não tinha ouvido praticamente nada, e no entanto aquilo deixou-o preocupado durante dias, tanto assim que por fim você criou coragem de perguntar a sua mãe a respeito daquela conversa, ela que sempre lhe parecera franca e direta com você, que jamais se recusara a responder as suas perguntas, mas desta vez, desta única vez, ela pareceu confusa quando você lhe disse o que tinha ouvido, como se estivesse sendo apanhada em flagrante, e então, depois de um momento, riu, dizendo que não se lembrava, que não sabia do que você estava falando. Era perfeitamente possível que ela não lembrasse mesmo, que a conversa não tivesse nenhuma importância, que as expressões carinhosas não tivessem o significado que você lhes atribuiu, mas um pequeníssimo germe de dúvida se instalou na sua cabeça naquele dia, uma dúvida que rapidamente se dissipou nas semanas e meses que se seguiram, mas quatro ou cinco anos depois, quando sua mãe anunciou que ia separar-se do seu pai, foi inevitável que você se lembrasse das últimas frases daquela conversa ouvida por acaso. Toda essa história tinha alguma importância? Não; ao que parecia, não. Seus pais estavam destinados a se separar desde o dia em que se casaram, e se a sua mãe havia ou não dormido com o homem que ela chamara de *querido*, se havia outro homem ou vários homens ou homem nenhum, nada disso teve a ver com o divórcio deles. Um sintoma não é uma causa, e quaisquer que fossem os pensamentos mesquinhos que sua prima tivesse a respeito de sua mãe, ela não sabia de nada. É inegável que aquele telefonema ajudou a desencadear a sua crise de pânico — o momento em que ele ocorreu, as circunstâncias que o acompanharam —, mas o que ela lhe disse naquela manhã não era nenhuma novidade.

Por outro lado, muito embora você fosse filho dela, você não sabe praticamente nada. São muitas as lacunas, muitos os silêncios e evasões, muitos os fios perdidos ao longo dos anos para que você possa costurar uma história coerente. Inútil falar sobre ela de fora, portanto. O que houver para ser dito tem que ser extraído do interior, das suas entranhas, da acumulação de lembranças e percepções que você continua a levar dentro do seu corpo — e que o deixaram, por motivos que jamais virão a ser conhecidos por completo, ofegante no chão da sala de jantar, certo de que estava prestes a morrer.

Um casamento apressado, impensado, um casamento impetuoso entre duas almas incompatíveis que já havia perdido o gás antes mesmo que terminasse a lua de mel. Uma jovem nova-iorquina de vinte e um anos (nascida e criada no Brooklyn, transportada para Manhattan aos dezesseis anos) e um celibatário de Newark com trinta e quatro anos que havia começado a vida em Wisconsin e saíra de lá, órfão de pai, aos sete anos, quando a mãe matou o pai com um tiro na cozinha da casa onde eles moravam. A noiva era a mais nova de duas irmãs, produto de mais um casamento impensado e malfadado (*O seu pai seria um homem maravilhoso — se fosse diferente*), uma moça que não havia terminado o colegial para começar a trabalhar (trabalho de escritório, depois assistente de fotógrafo) e que nunca lhe contou muita coisa sobre os primeiros amores e namoros dela. Uma vaga história sobre um namorado que havia morrido na guerra, outra mais vaga ainda sobre um breve flerte com o ator Steve Cochran, mas fora isso, nada. Ela obteve o diploma estudando à noite (num curso comercial), mas depois não foi para a faculdade; também o seu pai não tinha diploma universitário, ainda era um menino quando penetrou o País do Trabalho e começou a ganhar seu próprio sustento tão logo concluiu o ensino médio, aos dezoito anos. São esses os fatos conhecidos, as poucas informações verificáveis que chegaram até você. Depois vêm os anos invisíveis, os primeiros três ou quatro anos da sua vida, aquele tempo em branco do qual é impossível lembrar-se do que quer que seja, e assim você é obrigado a depender das diversas narrativas que sua mãe lhe fez mais tarde: a vez em que você quase morreu, aos dezesseis meses, de amigdalite (quarenta e um graus de febre, e o médico dizendo a ela: *Agora está nas mãos de Deus*), os problemas do seu estômago errático e desobediente, que levaram a um diagnóstico de alergia ou intolerância a alguma coisa (trigo? glúten?) e o obrigaram a ficar por dois anos e meio restrito a uma dieta quase exclusiva de bananas (tantas bananas consumidas naquele tempo do qual você não tem lembrança que até hoje lhe dá náuseas ver bananas ou sentir o cheiro delas, e você não come uma banana há sessenta anos), o prego que rasgou o seu rosto naquela loja de departamentos em Newark em 1950, a sua notável capacidade, aos três anos, de identificar a marca e o modelo de todos os carros que você via na rua (notável para a sua mãe, que a interpretou como sinal de genialidade), mas acima de tudo o prazer que ela lhe transmitia ao narrar essas histórias, o prazer imenso que ela parecia extrair do simples fato de que você existia, e como o casamento dela era tão infeliz, agora você se dá conta de que ela recorreu a você como uma espécie de consolo, para dar à sua vida um significado e um objetivo que lhe faltavam. Você saiu lucrando com a infelicidade dela, e foi muito amado, muitíssimo amado, sem dúvida profundamente amado. Isso acima de tudo, acima de qualquer outra coisa que haja a dizer: ela foi uma mãe amorosa e dedicada para você durante a primeira infância e os primeiros anos da meninice, e tudo que por acaso houver de bom em você, as boas qualidades que lhe pertençam, vêm daquele tempo do qual não lhe ficou nenhuma lembrança.

Alguns lampejos remotos, umas poucas ilhotas de memória num infinito mar negro. Você esperando sua irmã recém-nascida voltar do hospital com seus pais (idade: três anos e nove meses), olhando por entre as lâminas da persiana da sala, com a mãe da sua mãe, e saltitando quando finalmente o carro estacionou na frente da casa. Segundo sua mãe, você foi um irmão mais velho entusiasmado, não tinha nenhum ciúme do bebê novo que entrou para a família, mas sua mãe parece ter lidado com a questão de modo muito inteligente, pois em vez de excluí-lo transformou-o em *ajudante*, o que lhe deu a ilusão de participar ativamente da criação da sua irmã. Alguns meses depois, perguntaram-lhe se queria tentar ir para o maternal. Você respondeu que sim, sem saber muito bem o que era o maternal, pois o ensino pré-escolar em 1951 era bem menos comum do que hoje, mas bastou o primeiro dia para levá-lo a desistir. Você se lembra de ter que formar uma fila com um grupo de outras crianças e fazer de conta que estava numa mercearia, e quando finalmente chegou a sua vez, após uma espera que lhe pareceu durar horas, você entregou um punhado de dinheiro faz de conta para uma pessoa que estava atrás de uma caixa registradora faz de conta, que lhe deu em troca um saco de comida faz de conta. Você disse a sua mãe que o maternal era uma idiotice e uma perda de tempo, e ela não tentou convencê-lo a voltar. Logo depois a sua família se mudou para a casa da Irving Avenue, e quando entrou para o jardim da infância em setembro, você já estava pronto para a escola, nem um pouco incomodado com a ideia de ficar algum tempo afastado da sua mãe. Você lembra o prelúdio caótico àquela primeira manhã, crianças berrando e esperneando quando as mães se despediam delas, os gritos de angústia dos abandonados ecoando pelas paredes, enquanto você tranquilamente dava tchauzinho para a sua mãe, sem conseguir entender o motivo daquela confusão toda, pois estava feliz por estar ali e sentia que agora era gente grande. Você tinha cinco anos e já estava se afastando, não vivia mais exclusivamente na órbita de sua mãe. Mais saúde, novos amigos, a liberdade do quintal atrás de casa e o início de uma vida autônoma. Você continuava fazendo xixi na cama, é claro, e ainda chorava quando caía e machucava o joelho, mas já tivera início o diálogo interior, e você já penetrara o território da consciência do eu. Porém, por ficar muitas horas no trabalho, e por ter o costume de tirar longos cochilos quando estava em casa, o seu pai era uma figura quase sempre ausente, e a sua mãe continuou a ser a força central da autoridade e da sabedoria para todas as coisas mais importantes. Era ela que o punha na cama, que o ensinava a andar de bicicleta, que o ajudava a estudar piano, era com ela que você se abria, era ela a rocha a que você se apegava sempre que o mar ficava agitado. Mas você já estava começando a desenvolver uma mente própria, e já não acatava todos os pronunciamentos e todas as opiniões dela. Você odiava estudar piano, queria era estar lá fora brincando com os amigos, e quando disse a ela que preferia largar o piano, que o beisebol era muitíssimo mais importante para você do que a música, ela cedeu sem muita discussão. Depois, a questão das roupas. Quase o tempo todo você andava de camiseta e jeans (ou calças de brim, como se dizia na época), mas nas ocasiões especiais — feriados, aniversários, visitas aos avós em Nova York — ela fazia questão de fazê-lo vestir roupas bem cortadas, roupas que começaram a lhe proporcionar constrangimento quando você chegou aos seis anos, especialmente o conjunto de camisa branca e calças curtas com meias até os joelhos e sandálias, e quando você começou protestar, dizendo que se sentia ridículo, que só queria se vestir como todos os outros garotos do país, ela acabou voltando atrás, permitindo que você escolhesse as roupas que usaria. Mas ela também estava começando a se afastar, e não muito tempo depois do seu aniversário de seis anos partiu para o País do Trabalho, e você começou a vê-la cada vez menos. Que você se lembre, isso não lhe causou nenhuma tristeza, mas por outro lado até onde lhe é possível saber como você se sentia? É importante não esquecer que você não sabe quase nada — e absolutamente nada a respeito da situação do casamento dela, o grau da infelicidade dela com seu pai. Anos depois, ela lhe contou que tentou convencê-lo a mudar-se para a Califórnia, que ela achava que o casamento não teria nenhuma esperança de dar certo a menos que ele se afastasse de sua família, da presença sufocante da mãe e dos irmãos mais velhos, e quando ele se recusou a pensar nessa possibilidade ela se resignou a viver num casamento fracassado. As crianças eram pequenas demais para que ela pudesse pensar em divórcio (naquela época, naquele lugar, na classe média americana do início dos anos 50), e assim ela encontrou outra solução. Estava com apenas vinte e oito anos, e o trabalho abriu-lhe uma porta, permitiu-lhe sair de casa e deu-lhe a oportunidade de construir uma vida que fosse só sua.

Você não está dizendo que ela desapareceu. Apenas tornou-se menos presente do que antes, bem menos, e se a maioria das suas lembranças dessa época se resumem ao pequeno mundo das suas atividades de menino (correrias com os amigos, passeios de bicicleta, idas à escola, esportes, coleções de selos e figurinhas de beisebol, revistas de histórias em quadrinhos), a sua mãe é uma presença bem nítida em vários episódios, principalmente quando, aos oito anos, por algum motivo você se tornou escoteiro lobinho, juntamente com mais de dez amigos seus. Você já não lembra com que frequência eram realizadas as reuniões, mas imagina que fosse uma vez por mês, cada vez na casa de um membro diferente, e essas reuniões eram presididas em caráter rotativo por um grupo de três ou quatro mulheres, chamadas aquelás, uma das quais era a sua mãe, o que prova que o trabalho dela como corretora imobiliária não era tão absorvente que a impedisse de tirar uma folga de vez em quando. Você lembra o prazer que lhe dava vê-la com seu uniforme azul-marinho de aquelá (o que nisso havia de absurdo, e de novidade), e lembra também que ela era a aquelá predileta dos meninos, pois era a mais moça e a mais bonita de todas as mães, a mais divertida, a mais espontânea, a única que conseguia captar a atenção de todos sem nenhuma dificuldade. Você se lembra com muita clareza de duas das reuniões por ela presididas: uma em que vocês construíram caixas de madeira (para quê, você não lembra mais, mas todos se dedicaram à tarefa com muita diligência), e outra, mais para o final do ano letivo, quando fazia calor e todos já estavam enjoados das regras do escotismo, que foi a última ou penúltima reunião na sua casa da Irving Avenue, e como ninguém aguentava mais brincar de soldado mirim, sua mãe perguntou aos meninos o que eles queriam fazer naquela tarde, e quando todos responderam, unânimes, que queriam jogar beisebol, foram todos para o quintal e formaram times. Como vocês eram só dez ou doze, e os times ficaram pequenos, sua mãe resolveu jogar também. Você ficou satisfeitíssimo, mas como jamais a vira manejando um taco, imaginava que logo ela seria eliminada. Quando ela pegou o taco na segunda entrada e acertou a bola, que passou muito acima da cabeça do campista esquerdo, você ficou não apenas satisfeito, mas atônito. Até hoje você guarda a imagem da sua mãe correndo de base em base, com seu uniforme de aquelá, e chegando de volta à base principal, completando o seu *home run* — esbaforida, sorridente, aclamada pelos meninos. De todas as lembranças dela que você guardou da sua infância, esta é a que lhe volta à mente mais vezes.

Provavelmente sua mãe não era uma mulher linda, no sentido clássico do termo, mas era bonita, mais do que atraente, o bastante para que os homens a olhassem toda vez que ela entrava numa sala. O que lhe faltava em matéria de beleza, aquele tipo de beleza de estrela de cinema característica de algumas mulheres, sejam ou não estrelas de cinema, ela compensava com uma aura de glamour, especialmente quando era jovem, dos vinte e muitos aos quarenta e poucos anos, uma misteriosa combinação de postura, aplomb e elegância, roupas que ressaltavam sem exagero a sensualidade do corpo por trás delas, o perfume, a maquiagem, as joias, o cabelo muito bem penteado, e acima de tudo um brilho travesso nos olhos, uma expressão ao mesmo tempo direta e decorosa, *um olhar confiante*, e mesmo não sendo a mulher mais bela do mundo ela agia como se fosse, e uma mulher que é capaz de agir assim inevitavelmente faz com que as cabeças se voltem para ela ao passar, o que sem dúvida fez com que as matronas severas da família de seu pai a desprezassem depois que ela se afastou do rebanho. Foram anos difíceis aqueles, é claro, os anos que culminaram com a separação adiada há tanto tempo, porém inevitável, a época do *até logo, querido*, e do carro que ela detonou uma noite, quando você estava com dez anos.

Você ainda vê à sua frente o rosto dela, machucado e ensanguentado, quando ela entrou em casa no dia seguinte, de manhã bem cedo, e embora ela jamais lhe tenha dito muita coisa a respeito do acidente, apenas um relato vago e genérico, que provavelmente tinha pouca relação com a verdade, você desconfia que talvez tivesse álcool envolvido, que houve um curto período nessa época em que ela bebeu demais, pois anos depois ela mencionou ter frequentado o AA, e nunca mais bebeu nada alcoólico pelo resto da vida — nem mesmo um único drinque, uma taça de champanhe, nada, nem sequer um gole de cerveja.

Ela era três mulheres, três mulheres diferentes que não pareciam ter relação uma com a outra, e à medida que você foi crescendo e passando a vê-la com outros olhos, vê-la como uma pessoa que não era apenas a sua mãe, você nunca conseguia saber qual máscara ela estaria usando num determinado dia. Num extremo, era a diva, a mulher encantadora, muito bem vestida, que em público deslumbrava o mundo, a moça casada com um homem obtuso e distraído, a moça que adorava ter os olhos dos outros voltados para si e que não deixava — não mais — que a restringissem ao papel limitado de dona de casa tradicional. No meio, de longe o maior espaço que ela ocupava, era uma pessoa séria e responsável, dotada de inteligência e compaixão, a mulher que tomou conta de você quando você era pequeno, que foi trabalhar, que administrou uma série de pequenas empresas ao longo dos anos, a excelente contadora de piadas e ás das palavras cruzadas, uma pessoa com os pés bem plantados no chão — competente, generosa, atenta para o mundo a seu redor, liberal em matéria de política, alguém que dava conselhos sensatos. No extremo oposto, o extremo oposto de quem ela era, uma neurótica medrosa e debilitada, vítima impotente de terríveis crises de ansiedade, cada vez mais dominada por fobias à medida que ia ficando mais velha — de início, medo de altura, e por fim, como se numa metástase, um verdadeiro florescimento de formas múltiplas de paralisia: medo de escada rolante, medo de avião, medo de elevador, medo de dirigir, medo de se aproximar de janelas em andares altos, medo de ficar sozinha, medo de espaço aberto, medo de ir a pé a qualquer lugar (temia perder o equilíbrio ou desmaiar), uma hipocondria constante que acabou levando-a aos píncaros do terror. Em outras palavras: medo de morrer, o que em última análise não é outra coisa que não medo de viver. Quando você era pequeno, não se dava conta de nada disso. Ela lhe parecia perfeita, e mesmo durante sua primeira crise de vertigem, que você por acaso testemunhou aos seis anos (vocês estavam subindo a escadaria interior da Estátua da Liberdade), você não ficou assustado, porque ela era uma mãe boa e conscienciosa, e conseguiu ocultar o medo que sentia ao transformar a descida da escada num jogo: vocês se sentaram juntos num degrau e depois desceram um de cada vez, arrastando a bunda nos degraus, rindo até chegar lá embaixo. Na velhice, não havia mais risos. Apenas o vazio a rodopiar dentro da cabeça dela, o nó na barriga, o suor frio, um par de mãos invisíveis apertando-lhe a garganta.

O segundo casamento dela foi um tremendo sucesso, o tipo de casamento que todo mundo quer ter — até o dia em que deixou de ser. Você gostava de vê-la tão feliz, tão evidentemente apaixonada, e gostou do marido dela sem hesitação, não apenas por ele estar apaixonado pela sua mãe e saber amá-la de todas as maneiras que você achava que ela precisava ser amada, mas também porque era um homem admirável, um advogado trabalhista perspicaz, dotado de muita personalidade, alguém que parecia tomar a vida de assalto, que fazia pouco das convenções sociais à mesa de jantar e contava histórias engraçadíssimas sobre seu passado, que de imediato abraçou você não como enteado e sim como uma espécie de irmão mais moço, fazendo com que vocês se tornassem amigos íntimos, de modo que você concluiu que esse casamento era a melhor coisa que já acontecera com a sua mãe, algo que faria com que finalmente tudo desse certo para ela. Afinal, ela ainda era jovem, não havia completado quarenta anos, e por ser ele dois anos mais moço do que ela, você não tinha motivo para duvidar de que eles viveriam muitos anos juntos, até que um morresse nos braços do outro. Mas a saúde de seu padrasto não era boa. Embora parecesse forte e vigoroso, desgraçadamente tinha um coração fraco, e depois do primeiro infarto, aos trinta e poucos anos, ele teve o segundo, sério, apenas um ano depois de casar-se, e daí em diante havia uma espécie de sombra pairando sobre a vida do casal, que piorou ainda mais quando ele sofreu o terceiro infarto, dois anos depois. Sua mãe vivia com o medo constante de perdê-lo, e você viu com seus próprios olhos de que modo esses medos pouco a pouco abalaram sua sanidade mental, exacerbando gradualmente as fraquezas que ela se esforçava há tantos anos para ocultar, as fobias que explodiram durante os últimos anos que eles viveram juntos, e quando ele morreu, aos cinquenta e quatro anos, ela já não era a mesma pessoa com quem ele havia se casado. Você se lembra da última performance heroica de sua mãe, aquela noite em Palo Alto, Califórnia, em que ela ficou contando piadas, uma depois da outra, para você e para sua mulher, enquanto seu padrasto, na UTI do Stanford Medical Center, era submetido a tratamentos experimentais. A tentativa final, desesperada, num caso considerado praticamente perdido, e a visão terrível de seu padrasto a agonizar naquela cama, cheio de tubos e fios ligados a máquinas, tantas que a sala mais parecia um cenário de filme de ficção científica, e quando entrou e olhou para ele você ficou tão assustado e triste que teve de se conter para não chorar. Era o verão de 1981, você e sua mulher se conheciam havia cerca de seis meses, estavam morando juntos mas não tinham se casado ainda, e quando vocês dois estavam à cabeceira de seu padrasto ele estendeu o braço, segurou as mãos de vocês e disse: "Não percam tempo. Casem logo. Casem, cuidem um do outro e tenham doze filhos". Você e a sua mulher estavam com sua mãe numa casa em Palo Alto, uma casa vazia que fora emprestada a ela por algum amigo desconhecido, e naquela noite, depois de jantar num restaurante, onde você quase chorou outra vez quando a garçonete veio lhe dizer que o prato que você pedira havia acabado (angústia deslocada em sua modalidade mais pronunciada — as lágrimas absurdas que você sentia se formando em seus olhos poderiam ser interpretadas como a concretização de emoções reprimidas que não era mais possível reprimir), e depois vocês três voltaram para casa, para a tristeza daquela casa à sombra da morte, os três convictos de que aqueles seriam os últimos dias da vida de seu padrasto, vocês se sentaram em torno da mesa de jantar para beber, e justamente quando você achava que ninguém conseguiria dizer mais uma palavra sequer, quando o peso que havia no coração de vocês parecia ter esmagado toda e qualquer palavra, sua mãe começou a contar piadas. Uma piada, depois outra piada, depois mais uma, seguida por outra, piadas tão engraçadas que você e sua mulher riam até quase não conseguir mais respirar, uma hora de piadas, duas horas de piadas, cada uma contada com tanta arte, uma linguagem tão seca e econômica, que houve um momento em que você imaginou que seu estômago estava prestes a estourar. Piadas judaicas, em sua maioria, uma torrente infindável de piadas clássicas, com todas as vozes e sotaques apropriados, um grupo de judias velhas jogando cartas e suspirando, uma por uma, cada uma suspirando mais forte que a outra, até que finalmente uma delas diz: "Mas a gente tinha combinado em não falar sobre os filhos". Vocês três ficaram um pouco enlouquecidos naquela noite, mas as circunstâncias eram tão terríveis e insuportáveis que vocês precisavam enlouquecer um pouco, e de algum modo sua mãe conseguiu reunir forças para lograr esse objetivo. Um momento de coragem extraordinária, você pensou, um exemplo sublime da sua mãe no que ela tinha de melhor — pois por pior que fosse o seu sofrimento naquela noite, você sabia que não era nada, absolutamente nada, em comparação com o sofrimento dela.

Ele sobreviveu à internação no Stanford Medical Center e voltou para casa, mas morreu menos de um ano depois. Você acredita que sua mãe também morreu nesse dia. O coração dela continuou a bater por mais vinte anos, porém a morte do seu padrasto foi o fim para ela, pois nunca mais ela se recuperou. Pouco a pouco, seu luto se transformou numa espécie de ressentimento (*Como ele foi capaz de morrer e me deixar sozinha?*), e por mais doloroso que fosse ouvi-la falar daquele jeito, você compreendia que ela estava assustada, tentando criar coragem para dar o próximo passo e seguir, trôpega, em direção ao futuro. Ela detestava viver sozinha, não tinha, por natureza, condições de sobreviver num vácuo de solidão, e depois de algum tempo voltou a circular, agora bem mais pesada, com muitos quilos acima do ideal, porém ainda atraente o bastante para virar a cabeça de muitos homens idosos. A essa altura, já estava morando no sul da Califórnia há mais de dez anos, e vocês se viam com pouca frequência, uma vez a cada seis meses, no máximo, e as informações que você tinha a respeito dela vinham quase todas de conversas ao telefone — o que sempre era alguma coisa, mas você raramente tinha oportunidade de vê-la em ação, e por isso ficou surpreso, mas ao mesmo tempo não ficou, quando ela lhe disse que estava planejando se casar outra vez, apenas um ano e meio após a morte do marido. Para você, aquele casamento era uma insensatez, mais um casamento apressado e impensado, não muito diferente do casamento dela com seu pai em 1946, mas agora ela não estava mais procurando um grande amor, e sim um refúgio, alguém que cuidasse dela enquanto ela restabelecia seu eu frágil. Lá à sua maneira discreta e atrapalhada, o terceiro marido lhe era dedicado, o que sem dúvida é alguma coisa, mas apesar de todos os esforços e boas intenções, não conseguiu cuidar da sua mãe como devia. Era um homem pouco inteligente, ex-fuzileiro naval e ex-engenheiro da Nasa, conservador tanto em matéria de política quanto na maneira de ser, ou submisso ou fraco (talvez as duas coisas), e portanto o exato oposto do seu padrasto efusivo, carismático, liberal de esquerda — não era uma pessoa má ou cruel, apenas pouco inteligente. Trabalhava agora como inventor freelance (sem muito sucesso), mas sua mãe depositava grandes esperanças na sua invenção mais recente — um dispositivo médico intravenoso, sem tubos, portátil, que competiria com o equipamento intravenoso tradicional, tendo potencial de vir a substituí-lo —, e como o sucesso parecia garantido, ela casou-se com ele imaginando que em breve os dois estariam nadando em dinheiro. Sem dúvida, a invenção era boa, talvez até brilhante, só que o inventor não tinha jeito para negócios. Espremido entre empreendedores espertos e empresas de artigos médicos desonestas, ele acabou perdendo o controle sobre sua própria invenção, e ainda que tenha levado algum dinheiro no final das contas, certamente não era a fortuna que eles imaginavam — era tão pouco, na verdade, que em um ano a maior parte já fora gasta. Sua mãe, a essa altura já na casa dos sessenta, foi obrigada a voltar a trabalhar. Ela reabriu a firma de decoração de interiores que havia fechado alguns anos antes, e tendo seu marido inventor como assistente, agora era ela que sustentava o casal, ou ao menos tentava fazê-lo, e sempre que a conta bancária deles se aproximava do zero sua mãe telefonava para você e pedia ajuda, sempre em lágrimas, sempre se desculpando, e por ter condição de ajudá-los você lhes enviava cheques de vez em quando, alguns de quantias vultosas, outros nem tanto, cerca de uma dúzia de cheques e transferências de dinheiro nos dois anos seguintes. Você não se incomodava em ajudá-los, mas achava estranho, e um tanto desanimador, que aquele ex-fuzileiro naval tivesse entregado os pontos de tal modo que não conseguia mais se afirmar, que o homem que supostamente ia sustentá-la e garantir-lhe uma velhice confortável não tinha sequer coragem de agradecer a ajuda que você lhes dava. Sua mãe agora era a cabeça do casal, e aos poucos o marido foi se transformando numa espécie de mordomo fiel (servia-lhe café na cama, fazia as compras), mas fosse como fosse eles tocavam a vida, a coisa não era tão má assim, sem dúvida poderia ter sido pior, e por mais decepcionante que a situação fosse para ela, também ela sabia que aquilo era melhor do que nada. Então, na primavera de 1994, sua mãe entrou no banheiro de manhã e encontrou o marido caído no chão, morto. Derrame, infarto, hemorragia cerebral — é impossível saber o que foi, pois não foi feita nenhuma autópsia, pelo menos não que você saiba. Quando ela telefonou para você no Brooklyn ainda naquela manhã, sua voz estava cheia de horror. Sangue, ela disse, sangue saindo pela boca dele, sangue para todos os lados, e pela primeira vez, em toda sua vida, você achou que ela parecia estar enlouquecida.

Sua mãe resolveu voltar para o Leste. Vinte anos antes, ela via a Califórnia como uma terra prometida, mas agora não passava de um lugar associado a doenças e mortes, a capital do azar e das lembranças dolorosas, e assim ela voltou a atravessar o país para ficar perto da família — você e sua mulher, acima de tudo, mas também a filha com doença mental, em Connecticut, a irmã e os dois netos. Não tinha mais um tostão, é claro, o que significava que você teria que sustentá-la, mas isso agora não era nenhum problema, e você estava perfeitamente disposto a fazê-lo. Você comprou um apartamento de quarto e sala para ela em Verona, alugou-lhe um carro, passou a lhe dar o que julgou ser uma mesada razoável. Não era, é claro, a primeira vez no mundo que um filho se via em tal situação, mas mesmo assim a coisa lhe parecia estranha e incômoda: ter de cuidar da pessoa que antes cuidava de você, chegar àquela altura da vida em que os papéis se invertem, você agindo como pai e ela reduzida à condição de criança indefesa. A situação financeira de vez em quando causava alguns atritos, pois sua mãe tinha dificuldade em se manter dentro do orçamento, e muito embora você aumentasse o valor da mesada várias vezes, mesmo assim ela não conseguia se conter, o que o obrigava a ralhar com ela de vez em quando, uma situação constrangedora, e uma vez, quando você foi talvez um pouco duro demais, sua mãe começou a chorar ao telefone, dizendo que era uma velha inútil e que talvez o melhor fosse se matar para não continuar a onerá-lo. Havia algo de cômico nessa explosão de autocomiseração (você tinha consciência de que estava sendo manipulado), mas assim mesmo o comentário dela o fez se sentir muito mal, e no final você sempre acabava cedendo e lhe dando tudo que ela pedia. Mais preocupante era a incapacidade dela de fazer o que quer que fosse, sair de casa e envolver-se com o mundo. Você lhe sugeriu que fizesse trabalho voluntário como professora de leitura para crianças com dificuldades ou adultos analfabetos, que militasse no Partido Democrata ou alguma outra organização política, que se matriculasse em cursos, que viajasse, que entrasse para um clube, mas ela simplesmente não conseguia tentar nada. Até então, a falta de formação superior nunca fora um impedimento para ela — sua inteligência e perspicácia naturais pareciam compensar qualquer deficiência —, mas agora que ela estava sem marido, sem trabalho, sem qualquer coisa que a ocupasse no dia a dia, você lamentava que ela jamais tivesse desenvolvido interesse pela música, pelas artes, pela leitura ou por qualquer outra coisa, na verdade, desde que fosse um interesse apaixonado que a distraísse, mas ela nunca adquirira o hábito de envolver-se interiormente com alguma coisa, e assim continuava a andar às cegas, sem rumo, acordando todos os dias sem saber o que fazer. Em matéria de ficção, só lia romances policiais e de terror, e até mesmo os livros que você e a sua mulher publicavam, exemplares dos quais vocês lhe davam automaticamente sempre que eram lançados — e ela exibia, orgulhosa, numa prateleira especial na sala de visitas —, não eram a espécie de leitura de que ela era capaz. Sua mãe assistia muito à televisão. Em seu apartamento, o aparelho estava sempre ligado a todo o volume, desde manhã cedo até altas horas da noite, mas menos por ela estar vendo algum programa do que para que as vozes lhe fizessem companhia. Aquelas vozes a confortavam, na verdade lhe eram necessárias, e ajudavam-na a vencer o medo de morar sozinha — o que foi provavelmente sua maior conquista naqueles anos. Não, não foram os melhores anos da vida de sua mãe, mas você também não quer dar a impressão de que foi uma época de melancolia e transtorno sem interrupção. Ela viajava regularmente a Connecticut para visitar a sua irmã, passou uma infinidade de fins de semana com você na sua casa no Brooklyn, viu a neta atuar em apresentações teatrais na escola e cantar solos no coral da escola, acompanhou o interesse crescente do neto pela fotografia, e depois de todos aqueles anos na distante Califórnia voltou a fazer parte da sua vida, sempre presente nos aniversários, feriados e ocasiões especiais — aparições públicas suas e da sua mulher, estreias dos seus filmes (ela adorava cinema) e de vez em quando algum jantar com os seus amigos. Ela continuava a encantar as pessoas em público, mesmo quando já tinha mais de setenta anos, pois em algum lugar de seu cérebro ainda se via como uma estrela, como a mulher mais bela do mundo, e sempre que emergia daquela vida retirada, em que quase não saía mais de casa, sua vaidade parecia estar intacta. Boa parte do que ela era agora causava tristeza a você, mas você não conseguia deixar de sentir admiração por ela ao ver aquela vaidade, ao ver que ela ainda sabia contar uma boa piada quando as pessoas lhe estavam dando atenção.

Você espalhou as cinzas de sua mãe no Prospect Park. Cinco pessoas estavam presentes — você, sua mulher, sua filha, sua tia e sua prima Regina —, e você escolheu o Prospect Park, no Brooklyn, porque sua mãe brincava lá com frequência quando pequena. Um por um, todos leram poemas em voz alta, e então, enquanto você abria a urna de metal e jogava as cinzas sobre as folhas caídas e a vegetação rasteira, a sua tia (que normalmente não manifestava as emoções, uma das pessoas mais reservadas que você já conheceu) caiu em prantos, repetindo sem parar o nome da irmã caçula. Uma ou duas semanas depois, numa bela tarde no final de maio, você e sua mulher saíram para passear no parque com o cachorro. Você sugeriu voltar ao lugar onde havia espalhado as cinzas de sua mãe, mas quando ainda estava no caminho, a uns bons duzentos metros do começo do bosque, começou a sentir-se fraco e tonto, e muito embora estivesse tomando o remédio para controlar o novo problema que você estava tendo, ficou claro que mais uma crise de pânico estava começando. Você segurou o braço de sua mulher, os dois deram meia-volta e foram para casa. Isso já faz quase nove anos. Desde então, você evita voltar àquele bosque.

Verão de 2010. Uma onda de calor, a Canícula latindo desde o amanhecer até o pôr do sol e mesmo durante a noite, uma sucessão de dias com mais de trinta graus de temperatura, e agora, de repente, quarenta e um graus. Um ou dois minutos após a meia-noite. Sua mulher já se deitou, mas você está inquieto demais para dormir, e por isso foi para a saleta do andar de cima, um cômodo que vocês dois chamam de biblioteca, um espaço amplo com estantes cobrindo três das paredes; e como essas estantes estão agora cheias, abarrotadas de milhares de livros encadernados e brochuras que você e a sua mulher acumularam ao longo dos anos, há também pilhas de livros e DVDs no chão, o transbordamento inevitável que continua a aumentar com a passagem rápida dos meses e anos, dando à biblioteca uma atmosfera bagunçada, porém simpática, de plenitude e bem-estar, o tipo de cômodo que todos os visitantes qualificam de "acolhedor", e é sem dúvida o seu cômodo predileto, com um sofá de couro macio e televisão de tela plana, um lugar perfeito para ler livros e assistir a filmes, e como lá fora o calor está insuportável, o ar-condicionado está ligado e as janelas estão fechadas, bloqueando todos os sons que vêm da rua, a cacofonia noturna de latidos de cães e vozes humanas, o homem esquisito, gorducho, que perambula pelas ruas do bairro cantando canções de musicais com um falsete agudíssimo, o ronco dos caminhões, carros e motos que passam. Você liga a televisão. O jogo dos Mets terminou há cerca de duas horas, e por falta de outra distração você sintoniza com seu canal de cinema predileto, o TCM, que exibe filmes americanos antigos vinte e quatro horas por dia, e após alguns minutos assistindo a um filme, uma coisa importante acontece com você. Começa quando você vê o homem correndo pelas ruas de San Francisco, um homem enlouquecido descendo a escada de pedra de um centro médico e saindo na rua como uma bala, um homem que não tem para onde ir, correndo em calçadas cheias de gente, enfiando-se no meio dos carros, esbarrando nas pessoas, uma bala de canhão de desvario e incredulidade, que acaba de saber que vai morrer dentro de alguns dias, ou mesmo horas, que seu corpo foi contaminado por uma *toxina luminosa*, e que, como é tarde demais para expelir o veneno do organismo, é um caso perdido, e embora ele ainda pareça estar vivo, na verdade já está morto, já foi assassinado.

Você já foi esse homem, você diz a si próprio, e o que está vendo na tela da televisão é a representação exata do que lhe aconteceu dois dias após a morte de sua mãe em 2002: o martelo que desce sem aviso, depois a impossibilidade de respirar, o coração disparado, a tonteira, o suor, o corpo que cai no chão, os braços e pernas que viram pedra, os urros emitidos por pulmões enlouquecidos e sem ar, e a certeza de que o fim chegou para você, que daqui a um segundo o mundo deixará de existir, porque você não existirá mais.

Dirigido por Rudolph Maté em 1950, o filme se chama *D.O.A.*, abreviação utilizada pela polícia com o sentido de *dead on arrival*,* e o herói-vítima é um certo Frank Bigelow, um homem sem nada de particularmente importante nem interessante, um zé-ninguém, um homem qualquer, de cerca de trinta e cinco anos, contador e tabelião, que mora em Banning, Califórnia, uma cidadezinha no meio do deserto perto de Palm Springs. Um homem grandalhão, com rosto carnudo e lábios

---

* "Morto ao chegar". No Brasil, o filme se chamou *Com as horas contadas*. (N. T.)

grossos, Bigelow praticamente não pensa em outra coisa senão mulheres, e por se sentir sufocado pela secretária, Paula, uma mulher neurótica, obsessiva e pegajosa que o adora, e com quem ele pode ou não estar pretendendo se casar, movido por um impulso ele resolve tirar uma semana de folga e viajar até San Francisco. Quando faz o *check-in* no St. Francis Hotel, o saguão está apinhado de hóspedes barulhentos. Por acaso, aquela é a "semana do mercado", segundo lhe informa o homem da recepção, uma convenção anual de caixeiros-viajantes, e cada vez que uma mulher atraente passa (todas as mulheres do hotel são atraentes) Bigelow vira-se para contemplá-la com os olhos arregalados e a boca entreaberta, a expressão característica de um homem que está à caça. Para deixar isso bem claro, cada um de seus olhares é acompanhado por um solo cômico de flauta de êmbolo, executando as duas notas do tradicional "fiu-fiu", como se para dar a impressão de que Bigelow mal consegue acreditar na sua boa sorte, pois ao chegar naquele hotel em particular naquele dia em particular, é muito provável que consiga ganhar alguma mulher com facilidade. Quando sobe para seu quarto no sexto andar, o corredor está cheio de pessoas semibêbadas comemorando (mais "fiu-fius"), e a porta do quarto em frente ao seu está aberta, de modo que Bigelow vê que uma tremenda festa está acontecendo lá. Assim começam suas férias.

Paula telefonou de Banning, e antes mesmo de desfazer as malas Bigelow retorna a ligação. Pelo visto, ela recebeu um recado urgente de um homem chamado Eugene Philips de Los Angeles, o qual lhe disse que era importantíssimo que Bigelow telefonasse para ele *imediatamente*, eles precisavam conversar *antes que fosse tarde demais*. Bigelow não faz ideia de quem seja o tal Philips. É nosso cliente?, ele pergunta a Paula, mas também ela não consegue se lembrar desse nome. Durante toda a conversa, Bigelow não consegue tirar os olhos do que está acontecendo no quarto em frente ao seu. Mulheres param diante de sua porta aberta para lhe acenar e sorrir, e ele acena e sorri de volta, enquanto continua a conversar com Paula. Esqueça o tal Philips, diz Bigelow a Paula. Ele está de férias e não quer ser incomodado; depois que voltar para Banning ele verá do que se trata.

Depois que põe o fone no gancho, Bigelow acende um cigarro, um garçom aparece com uma bebida, e uma das pessoas da festa, que se identifica como Haskell, entra no quarto dele e lhe pergunta se pode usar o telefone. Mais três garrafas de *bourbon* e duas de *scotch* são pedidas para a festa do quarto 617. Quando fica sabendo que Bigelow é um recém-chegado de outra cidade, Haskell convida-o para a festa (*tomar um drinque, rir um pouco*), e dois minutos depois Bigelow já está dançando rumba com a mulher de Haskell no quarto barulhento em frente ao seu. Sue é uma mulher impetuosa, está bêbada e quer se divertir para compensar as frustrações, e como Bigelow se revela um bom dançarino ele se torna seu alvo número um — o que talvez não seja uma boa ideia, já que seu marido está presente, vendo tudo que está aprontando, mas Sue é afoita e determinada. Alguns minutos depois, a turma do quarto 617 resolve sair do hotel e fazer um programa na cidade. Relutante, Bigelow é arrastado com eles, e logo estão todos numa boate de jazz cheia de gente, chamada Fisherman, um lugar frenético onde um grupo de músicos negros executa uma peça animadíssima, com a palavra JIVE* escrita na parede atrás deles. Uma sucessão de closes mostra o saxofonista, o pianista, o trompetista, o baixista e o baterista gemendo com seus instrumentos, entrecortada com detalhes da reação exuberante da plateia, e lá está Bigelow sentado à mesa com seus novos amigos e a impetuosa Sue agarradinha a ele.

---

* Variedade de *hot jazz* e a dança associada a essa música. (N. T.)

Bigelow parece desanimado, está cheio daquilo tudo, não está interessado em Sue nem naquela barulhada, e Haskell também parece igualmente deprimido, examinando sua esposa em silêncio, vendo-a jogar-se nos braços daquele desconhecido do hotel. A certa altura, a câmara focaliza um homem que entra na boate pelos fundos, um homem alto de chapéu e sobretudo com o colarinho virado para cima, um colarinho estranho, realmente curioso, cujo avesso tem um padrão xadrez preto e branco. O homem se aproxima do bar, e poucos instantes depois Bigelow finalmente consegue desprender-se de Sue e dos outros. Ele também vai até o balcão e pede um *bourbon*, sem se dar conta de que o homem do colarinho estranho está prestes a colocar veneno em sua bebida e que ele, Bigelow, estará morto dentro de vinte e quatro horas.

Uma mulher elegante está sentada na outra ponta do balcão, e enquanto espera sua bebida Bigelow pergunta ao barman se a loura está sozinha. A loura, chamada Jeanie, é uma moça rica, fã de *jive*, que frequenta boates e usa as gírias típicas dos aficionados do gênero. Bigelow se aproxima dela, e nos poucos instantes em que ele se afasta de seu drinque, que já foi servido e o aguarda no lugar onde ele estava antes, do outro lado do balcão, o homem de colarinho estranho cumpre sua missão assassina, vertendo uma dose de veneno no copo e desaparecendo em seguida. Enquanto Bigelow conversa com a elegante Jeanie, que é ao mesmo tempo simpática e distante, uma princesa *hipster* totalmente na sua, o barman entrega-lhe sua bebida envenenada. Bigelow toma um gole e imediatamente seu rosto exprime surpresa e repulsa. O segundo gole tem o mesmo resultado. Afastando o copo, ele diz ao barman: "Isso não é meu. Eu pedi *bourbon*. Me traz outra dose".

Nesse ínterim, Sue se levantou e agora olha para todos os lados à procura de Bigelow, com uma expressão ansiosa e de contrariedade, sem entender por que ele não volta. Bigelow a vê, vira-se para o outro lado e convida Jeanie para ir a outro lugar com ele. Tem umas pessoas ali que ele está evitando, explica, e certamente deve haver outros lugares interessantes em San Francisco. Claro, diz Jeanie, mas ela ainda quer ficar mais um pouco no Fisherman. Jeanie sugere que eles se encontrem mais tarde, quando ela estiver no próximo ponto do seu itinerário daquela noite, e anota um número de telefone num pedaço de papel, dizendo-lhe que ligue para ela dentro de uma hora.

Bigelow volta para seu quarto no hotel, tira do bolso o pedaço de papel com o número de Jeanie e pega o telefone, mas antes de fazer a ligação levanta os olhos e vê que um buquê foi entregue em seu quarto. Há no papel de embrulho um cartão de Paula, com a mensagem: *Vou manter uma luz acesa na janela. Durma bem.* Bigelow sente-se culpado. Em vez de sair de novo para passar a noite correndo atrás de mulheres, ele rasga o papel com o telefone de Jeanie e o joga no lixo, e logo a seguir a história muda de rumo; é agora que a história começa de verdade.

O veneno já começou a atuar. A cabeça de Bigelow dói, mas ele conclui que bebeu demais e que vai se sentir melhor se dormir. Deita-se, e nesse momento ouve sons estranhos, desarticulados, o eco da voz de uma cantora distante, destroços mentais que vêm da boate, sinais de sofrimento físico crescente. Quando desperta na manhã seguinte, não está se sentindo melhor. Ainda convencido de que bebeu demais e está de ressaca, telefona para a recepção e pede que lhe tragam uma dessas bebidas apimentadas, à base de raiz-forte e molho inglês, que supostamente curam a ressaca na hora, mas quando o garçom entra com o copo, só de olhar para o líquido Bigelow sente náusea, e pede ao garçom que leve a bebida embora. Ele está com algum problema sério. Leva as mãos ao estômago, parece tonto e desorientado, e quando o garçom lhe pergunta se ele está bem, Bigelow, o herói-vítima já fadado a morrer, ainda sem entender o que lhe aconteceu, diz que deve ter se excedido na noite anterior e que precisa de um pouco de ar fresco. Ele sai, cambaleando ligeiramente, enxugando a testa com um lenço, e sobe num bonde que está passando. Salta em Nob Hill, e então começa a caminhar, caminhar por ruas vazias em plena luz do dia, indo para um lugar determinado, com um propósito em mente — mas para onde, para quê? Por fim, encontra o endereço que está procurando, um prédio branco alto com os dizeres CENTRO MÉDICO na fachada de pedra. Bigelow está bem mais preocupado do que deu a entender ao garçom no hotel. Ele sabe, sabe de verdade, que o problema é sério.

De início, os resultados do exame são animadores. Olhando para a radiografia, o médico diz: "Os pulmões estão em forma, a pressão está normal, o coração está ótimo. Que bom que nem todo mundo é como o senhor. Se fosse, nós médicos morreríamos de fome". Ele manda Bigelow vestir-se e aguardar o resultado do exame de sangue realizado pelo seu colega, o dr. Schaefer. Enquanto Bigelow dá um nó na gravata no primeiro plano, voltado para a câmara, sem expressão, uma enfermeira entra na sala atrás dele, perplexa demais para dizer o que quer que seja, fitando-o com um olhar ao mesmo tempo de horror e piedade, e neste momento não há mais dúvida de que Bigelow está condenado. Então entra o dr. Schaefer, tentando disfarçar sua preocupação. Ele e o primeiro médico confirmam se Bigelow não é casado e se não tem parentes em San Francisco, se ele veio sozinho à cidade. Por que essas perguntas? Bigelow indaga. O senhor está muito doente, diz o médico. *É preciso preparar-se para levar um susto.* E então ele fala sobre o agente tóxico luminoso que entrou em seu organismo e que em breve vai atacar seus órgãos vitais. Eles gostariam muito de poder fazer alguma coisa, mas esse veneno não tem antídoto. Seu fim está próximo.

Bigelow não consegue acreditar no que ouve e fica possesso. Isso é impossível!, ele exclama. Os médicos devem estar enganados, só pode ser um erro, mas com toda a calma eles reafirmam o diagnóstico, garantindo que não houve erro algum — o que tem o efeito de aumentar ainda mais a fúria de Bigelow. "Vocês estão me dizendo que eu estou morto!", ele grita. "Eu nem conheço vocês! Por que é que vou acreditar nisso?" Chama os médicos de loucos, empurra-os para o lado e sai do consultório indignado.

Corte, e vemos agora um prédio maior ainda — um hospital? outro centro médico? —, mais um corte, e Bigelow sobe a escada correndo. Entra numa sala onde há uma placa que diz EMERGÊNCIA, apoplético, um homem prestes a explodir em mil pedaços, passa por duas enfermeiras empurrando-as, insistindo que precisa de um médico imediatamente, e exigindo que alguém o examine para ver se ele ingeriu um veneno luminoso.

O novo médico chega à mesma conclusão que os dois da outra clínica. *É isso mesmo. O seu organismo já absorveu o veneno.* Para provar sua afirmação, apaga a luz da sala e mostra a Bigelow o tubo de ensaio que contém os resultados do exame. É uma cena sinistra. O líquido brilha no escuro — como se o médico tivesse na mão um frasco de leite incandescente, uma lâmpada cheia de rádio ou, pior ainda, os resíduos liquefeitos de uma bomba nuclear. A ira de Bigelow se aplaca. Diante de uma prova tão acachapante, ele fica mudo por alguns instantes. "Mas eu não estou me sentindo mal", diz, em voz baixa. "Só um pouco de dor de estômago, mais nada."

O médico lhe diz que a aparente falta de sintomas não deve enganá-lo. Só lhe restam um ou dois dias de vida, uma semana no máximo. *Não há nada que possa ser feito agora.* Então o médico fica sabendo que Bigelow não faz ideia de como, quando nem onde ingeriu o veneno. Isso quer dizer que o veneno foi instilado por terceiros, por algum desconhecido, o que por sua vez quer dizer que alguém agiu com a intenção de matá-lo.

"Isso é caso de polícia", diz o médico, pegando o telefone.

"Polícia?"

"Acho que você não entendeu, Bigelow. Você foi assassinado."

É neste momento que Bigelow entra em parafuso, é agora que a consciência da coisa monstruosa que lhe sucedeu se transforma numa sensação de pânico completo, é agora que o urro de agonia tem início. Ele sai correndo do consultório, do prédio, corre pelas ruas, e enquanto você acompanha esse trecho do filme, essa longa sequência que mostra a fuga enlouquecida de Bigelow pela cidade, você se dá conta de que está vendo a manifestação de um estado interior, que essa corrida insensata, impetuosa, impossível de deter, não é nada menos do que a representação de uma mente possuída pelo horror, a própria coreografia do pavor. Um ataque de pânico foi traduzido numa correria louca pelas ruas de uma cidade, pois o pânico não é senão a manifestação de uma fuga mental, uma força involuntária que brota dentro de alguém que se sente preso numa armadilha, quando a verdade se torna insuportável, quando a injustiça dessa verdade inevitável não pode mais ser encarada, e portanto a única reação possível é fugir, fechar a mente e transformar-se num corpo ofegante, a delirar, num movimento incessante, e que verdade poderia ser mais terrível do que essa? Condenado a morrer numa questão de horas ou dias, colhido no meio da vida por motivos que fogem ao seu entendimento, vendo sua vida reduzida de repente a um punhado de minutos, segundos, batidas de coração.

O que acontece depois não importa. Você vê a segunda parte do filme com atenção, mas sabe que a história já terminou, que muito embora continue não há mais nada a dizer. Bigelow vai passar suas últimas horas neste mundo tentando resolver o mistério de seu assassinato. Vai descobrir que Philips, o homem que telefonou para seu escritório de Los Angeles, está morto. Vai até Los Angeles para investigar as atividades de vários ladrões, psicopatas e mulheres traiçoeiras. Vai levar tiros e socos. Compreenderá que seu envolvimento naquela história se deu por mero acaso, que os vilões querem matá-lo porque por acaso ele reconheceu a firma de uma escritura de venda referente a um carregamento de irídio roubado, e que ele é a única pessoa viva que pode identificar os culpados. Ele vai chegar até o homem que o matou, o homem de colarinho estranho, que foi também o assassino de Philips, e vai matá-lo num tiroteio no patamar de uma escada escura. Em seguida, logo depois, o próprio Bigelow morrerá tal como fora previsto pelos médicos — no meio de uma frase, contando sua história à polícia.

Não há nada errado nesse tipo de reação, você imagina. É a maneira convencional de agir, a opção viril e heroica, o clichê de todas as histórias de aventura. Mas por quê, você pergunta, por que Bigelow não conta a ninguém o que vai acontecer com ele em breve, nem mesmo a Paula, tão apaixonada por ele? Talvez porque os heróis têm que permanecer durões até o final, e mesmo quando o tempo está se esgotando eles não podem se permitir chafurdar em sentimentos inúteis.

Mas você não é mais durão, certo? Desde a síndrome do pânico de 2002 você deixou de ser durão, e muito embora se esforce para ser uma pessoa de bem, já há muito tempo que você não se vê mais como um herói. Se um dia se visse na mesma situação que Bigelow, você tem certeza de que não faria o que ele fez. Sairia correndo pelas ruas, sim, correria até não conseguir dar mais um passo, nem respirar, nem ficar em pé, mas depois faria o quê? Telefonaria para Paula, telefonaria para ela assim que parasse de correr, mas se o número dela estivesse ocupado naquele momento, faria o quê? Você se jogaria no chão a chorar, maldizendo o mundo por ter permitido que você nascesse. Ou então, muito simplesmente, se esconderia em algum canto para esperar a morte chegar.

Você não pode ver-se a si próprio. Só sabe como é a sua aparência por causa dos espelhos e fotografias, mas enquanto você caminha pelo mundo, em meio a seus semelhantes, sejam eles amigos ou desconhecidos ou até mesmo as pessoas mais queridas e mais íntimas, seu próprio rosto lhe é invisível. Dá para ver outras partes de seu corpo, os braços, as pernas, as mãos, os pés, os ombros, o torso, mas apenas de frente, por trás só pode ver as pernas, dobrando-as para que fiquem na posição correta, mas não o rosto, jamais o rosto, e no final das contas — pelo menos do ponto de vista das outras pessoas — o rosto é quem você é, é o fato essencial da sua identidade. Os passaportes não trazem fotos das mãos nem dos pés. Até mesmo você, que vive dentro do seu próprio corpo há sessenta e quatro anos, talvez não conseguisse reconhecer seu próprio pé isolado numa fotografia, para não falar na orelha, no cotovelo, ou num de seus olhos em close. Tudo isso lhe é muito familiar no contexto do todo, mas cada parte é inteiramente anônima quando tomada isoladamente. Somos todos desconhecidos para nós mesmos, e se fazemos alguma ideia de quem somos, é apenas porque vivemos dentro dos olhos dos outros. Pense no que aconteceu com você aos catorze anos. Por duas semanas, no final do verão, você trabalhou para o seu pai em Jersey City, numa das pequenas equipes que faziam a manutenção dos prédios que ele e seus irmãos possuíam e administravam: pintando paredes e tetos, consertando telhados, martelando pregos em tábuas, trocando pedaços de linóleo rachado. Os dois homens que trabalhavam com você eram negros, todos os moradores de todos os apartamentos eram negros, todas as pessoas do bairro eram negras, e depois de duas semanas só vendo rostos negros a sua volta, você começou a esquecer que seu próprio rosto não era negro. Como você não podia ver seu próprio rosto, você se via no rosto das pessoas à sua volta, e pouco a pouco foi deixando de se considerar diferente. Na verdade, você parou de pensar em si próprio.

Olhando para a sua mão direita que segura a caneta-tinteiro preta com a qual você está escrevendo este diário, você pensa em Keats olhando para sua própria mão direita em circunstâncias semelhantes, no ato de escrever um de seus últimos poemas, de repente interrompendo a escrita para anotar oito linhas na margem do manuscrito, a explosão amarga de um jovem que sabia que ia morrer cedo, ressaltada pela palavra *agora* na última linha, pois todo *agora* necessariamente implica um *depois*, e que *depois* teria Keats pela frente senão a expectativa de sua própria morte?

This living hand, now warm and capable
Of earnest grasping, would, if it were cold
And in the icy silence of the tomb,
So haunt thy days and chill thy dreaming nights
That thou would wish thine own heart dry of blood
So in my veins red life might stream again,
And thou be conscience-calm'd — see here it is —
I hold it toward you. *

---

* "Esta mão viva, agora cálida e capaz/ De apertar outra mão, estivesse ela fria/ Na tumba gélida e silente, de tal modo/ Teus dias e tuas noites atormentaria/ Que havias de querer que o sangue de tuas veias/ Nas minhas circulasse, apaziguando assim/ A tua consciência — vê, eis minha mão —/ A ti a estendo agora." (N. T.)

Keats, acima de tudo, mas tão logo você pensa nesse poema vem à sua mente uma história que lhe foi relatada uma vez a respeito de James Joyce em Paris, nos anos 20, quando, numa festa, há oitenta e cinco anos, uma mulher aproximou-se dele e perguntou se podia apertar a mão que escrevera *Ulysses*. Em vez de oferecer-lhe a mão direita, Joyce levantou-a, ficou a examiná-la por alguns momentos e disse: "Lembre-se, minha senhora, que esta mão fez muitas outras coisas além disso". Não há maiores detalhes, mas é uma história deliciosa de indecência sugerida, particularmente eficaz por ter Joyce deixado tudo a cargo da imaginação da mulher. O que queria que ela imaginasse? Aquela mão limpando o cu, provavelmente, tirando meleca do nariz, masturbando-se na cama à noite, enfiando um dedo na boceta de Nora e acariciando-lhe o ânus, espremendo espinhas, tirando restos de comida de entre os dentes, arrancando pelos das narinas, tirando cera dos ouvidos — preencha as lacunas, a ideia central é esta: o que quer que fosse mais nojento para ela. As suas mãos também fizeram coisas parecidas, é claro, as mãos de todas as pessoas fazem essas coisas, mas a maior parte do tempo se ocuparam com tarefas que não exigem quase nenhuma consciência. Abrindo e fechando portas, atarraxando lâmpadas em bocais, discando números de telefones, lavando pratos, virando páginas de livros, segurando a caneta, escovando os dentes, secando o cabelo, dobrando toalhas, tirando dinheiro da carteira, carregando sacolas de compras, passando o cartão magnético na entrada do metrô, apertando botões de máquinas, pegando o jornal na porta de casa de manhã, dobrando a ponta do lençol na cama, exibindo o bilhete ao condutor do trem, puxando a descarga, acendendo cigarrilhas, apagando-as no cinzeiro, vestindo calças, tirando calças, amarrando cadarços, esguichando creme de barbear na ponta dos dedos, aplaudindo em teatros e salas de concerto, enfiando chaves em fechaduras, coçando o rosto, coçando os braços, coçando a bunda, puxando malas com rodinhas em aeroportos, desfazendo malas, pendurando camisas em cabides, fechando a braguilha, apertando o cinto, abotoando o paletó, dando nó na gravata, tamborilando com os dedos em mesas, colocando papel na máquina de fax, arrancando cheques do talão, abrindo caixas de chá, acendendo luzes, apagando luzes, afofando o travesseiro antes de se deitar. Essas mesmas mãos por vezes socaram pessoas (tal como já foi relatado), e três ou quatro vezes, em momentos de extrema frustração, também socaram paredes. Elas jogaram pratos no chão, deixaram cair pratos no chão e cataram cacos de pratos no chão. Sua mão direita já apertou tantas mãos que você já perdeu a conta, assoou o nariz, limpou o cu e acenou em despedida um número de vezes maior do que o número de palavras que há no mais completo dicionário. Suas mãos seguraram seus filhos, limparam-lhes o cu e assoaram-lhes o nariz, deram-lhes banho, esfregaram-lhes as costas, enxugaram-lhes as lágrimas e acariciaram-lhes o rosto. Deram tapinhas nos ombros de amigos, colegas de trabalho e parentes. Deram empurrões, levantaram pessoas do chão, seguraram braços de pessoas prestes a cair e empurraram cadeiras de roda de pessoas incapazes de andar. Tocaram o corpo de mulheres vestidas e nuas. Percorreram a pele nua de sua mulher, e tocaram todas as partes dela. É lá que elas são mais felizes, você sente, sempre foram mais felizes lá desde o dia em que você a conheceu, pois, parafraseando um verso de George Oppen, alguns dos lugares mais belos do mundo ficam no corpo da sua mulher.

Um dia depois do acidente de carro em 2002, você foi ao ferro-velho para onde o carro tinha sido rebocado a fim de pegar os pertences da sua filha. Era uma manhã de domingo em agosto, quente como sempre, com uma névoa de chuva salpicando as ruas, e um de seus amigos levou você de carro até um trecho desolado do Brooklyn, uma terra de ninguém, de armazéns caindo aos pedaços, terrenos baldios e prédios de madeira com tábuas pregadas nas portas. O homem do ferro-velho era um negro de sessenta e tantos anos, um sujeito baixinho com *dreadlocks* compridos e olhos límpidos e firmes, um rastafári simpático que vigiava seu domínio de automóveis destruídos como se fosse um pastor a cuidar de um rebanho de carneiros adormecidos. Você lhe explicou o que o levara ali, e quando ele o conduziu até aquele Toyota que estava novo e reluzente na véspera, ficou difícil entender como foi possível que você e sua família tivessem sobrevivido a tamanha catástrofe. Logo após o acidente, você havia percebido o estado em que o carro ficara, mas o impacto da colisão o deixou um tanto fora de órbita, de modo que não deu para assimilar por completo o que havia acontecido, mas agora, no dia seguinte, você se deu conta de que a carroceria do automóvel estava de tal modo esmagada que ele parecia um pedaço de papel amarrotado. "Veja só", você disse ao rastafári. "Era pra todos nós estarmos mortos agora." Ele contemplou o carro por alguns segundos, olhou para você nos olhos e depois virou a cabeça para cima, deixando a chuva fina cair-lhe no rosto e no cabelo abundante. "Havia um anjo cuidando de você", disse ele em voz baixa. "Era para você morrer ontem, mas então um anjo estendeu a mão e te puxou de volta pro mundo." O homem disse essas palavras com tal serenidade e convicção que quase chegou a convencê-lo.

Quando você dorme, você dorme profundamente, e quase nunca interrompe seu sono antes da hora de se levantar na manhã seguinte. O problema que é preciso enfrentar às vezes, porém, é a relutância em se deitar, um surto de energia tarde da noite que o leva a querer adiar a hora de ir para cama para só depois que terminar o capítulo do livro que você está lendo, ou que acabe o filme que você está vendo na televisão, ou então, durante a temporada de beisebol, quando os Mets ou os Yankees estão jogando na costa do Pacífico, depois que termine a partida transmitida diretamente de San Francisco, Oakland ou Los Angeles. Depois disso, você se deita ao lado da sua mulher e após dez minutos se isola por completo do mundo até a manhã seguinte. Mesmo assim, de vez em quando alguma coisa interfere no seu sono normalmente tão profundo. Se por acaso você fica deitado de costas, por exemplo, às vezes começa a roncar, coisa que aliás é bem provável de acontecer, e se o barulho produzido é tamanho que desperta sua mulher, em voz baixa ela lhe pede que fique de lado, e se essa tática delicada não dá certo ela o empurra, ou sacode o seu ombro, ou belisca sua orelha. Nove entre dez vezes você faz inconscientemente o que sua mulher pede, e logo em seguida ela adormece. Nos dez por cento restantes, o empurrão acaba por despertá-lo, e para não perturbar o sono dela ainda mais você vai até a biblioteca e se deita no sofá, que é grande o bastante para que nele caiba todo o seu corpo esticado. Na maioria das vezes você consegue dormir de novo no sofá — mas há ocasiões em que isso não ocorre. No decorrer dos anos, seu sono já foi interrompido por moscas e mosquitos zumbindo no quarto (os perigos do verão), por um soco dado na sua cara inconscientemente por sua mulher, que tende a jogar os braços para o lado quando se vira na cama, e uma vez, uma única vez, você foi arrancado dos seus sonhos quando ela começou a cantar no meio de um sonho — cantar a todo volume uma canção de um filme que ela vira quando criança, sua esposa brilhante, erudita, sofisticadíssima, voltando à infância no Meio-Oeste com uma interpretação esplêndida e retumbante de "Supercalifragilisti-cexpialidocious", tal como foi cantada por Julie Andrews em

Mary Poppins. Um dos raros momentos em que a diferença de idade de oito anos que há entre vocês dois veio à tona, pois quando aquele filme foi lançado você já era velho demais para assisti-lo, e portanto (felizmente) você nunca o viu.

Mas o que fazer quando você desperta no meio da noite, em algum momento entre as duas e as quatro da madrugada, deitado no sofá da biblioteca, e não consegue pegar no sono outra vez? É tarde demais para ler, tarde demais para ligar a televisão, tarde demais para assistir a um filme, e portanto você fica deitado no escuro ruminando, deixando que os pensamentos se encaminhem na direção que resolverem tomar. Às vezes você tem sorte e consegue se apegar a uma palavra, ou a um personagem, ou a uma cena do livro que está escrevendo, mas na maioria das vezes seus pensamentos se encaminham para o passado, e na sua experiência sempre que seus pensamentos se voltam para o passado às três da madrugada, esses pensamentos costumam ser melancólicos. Uma lembrança o persegue mais do que qualquer outra, e nas noites em que você não consegue dormir é difícil não voltar a ela, não retomar os eventos daquele dia e experimentar mais uma vez a vergonha que você sentiu depois, que nunca mais deixou de sentir. Foi há trinta e dois anos, na manhã do enterro do seu pai, quando você estava ao lado de um de seus tios (o pai da prima que ligou para você na manhã da sua crise de pânico), apertando as mãos de uma fila de pessoas que vinham lhes dar os pêsames, uma por uma, o ritual de aperto de mãos e palavras vazias que pontuam todos os funerais. Em sua maioria, eram membros da família, amigos e amigas de seu pai, alguns rostos reconhecíveis, outros não, e então você apertou a mão de Tom, um dos rostos não reconhecidos, e Tom lhe disse que fora o eletricista-chefe do seu pai por muitos anos, e que seu pai sempre o tratara bem, era um homem bom, disse ele, um irlandês baixinho com sotaque de Jersey City a lhe dizer que seu pai era um homem bom, e você agradeceu e apertou-lhe a mão novamente por ter ele dito isso, e em seguida Tom foi apertar a mão do seu tio, e ao vê-lo seu tio imediatamente mandou-o ir embora, aquilo era um funeral de família sem ninguém de fora, e quando Tom murmurou que estava ali apenas para manifestar seu respeito, seu tio pediu desculpas, mas insistiu que fosse embora, e assim Tom deu meia-volta e partiu. A conversa entre os dois durou apenas quinze ou vinte segundos, e você só conseguiu entender o que estava acontecendo quando Tom já estava indo embora. Quando por fim se deu conta do que seu tio havia feito, você ficou revoltado, horrorizado de vê-lo tratar uma pessoa assim, qualquer pessoa que fosse, mas especialmente aquele homem, que estava ali apenas porque sentia que era essa a sua obrigação, e o que até hoje o incomoda e o faz sentir vergonha é o fato de que você não disse nada ao seu tio. Sem dúvida, ele era um homem notoriamente mal-humorado, uma pessoa dada a acessos de raiva e bate-bocas monumentais, e se você lhe houvesse chamado a atenção naquele momento, era bem provável que ele o tivesse agredido no meio do funeral do seu pai. Mas e daí? Você devia tê-lo enfrentado, devia ter tido a coragem de responder gritando se ele começasse a gritar, e mesmo não tendo feito isso, por que motivo pelo menos você não saiu correndo atrás de Tom para lhe dizer que ele podia ficar? Você não consegue entender por que não tomou uma atitude naquele momento, e o fato de estar em estado de choque por efeito da morte do seu pai não é desculpa. Você devia ter agido e não agiu. No decorrer de toda a sua vida, você defendeu pessoas que estavam sendo maltratadas, esse era o princípio que lhe parecia superior a todos os outros, mas naquele dia em particular você fechou a boca e não fez nada. Agora, olhando para trás e relembrando o episódio, fica claro que foi por isso que você parou de encarar a si próprio como um herói: porque não havia desculpa.

Nove anos antes (1970), servindo na tripulação do navio *Esso Florence*, você ameaçou socar e até mesmo matar um dos seus companheiros de bordo por ter ele dirigido a você ofensas antissemitas. Você agarrou-o pela camisa, bateu-o contra a parede e, encostando o punho direito em seu rosto, ordenou que ele parasse de xingá-lo, senão ele ia ver. Martinez recuou imediatamente, pediu desculpas e não muito depois se tornou seu amigo. (Tal como Mme. Rubinstein.) Nove anos depois — isto é, nove anos depois do funeral do seu pai (1988), você mais uma vez quase socou uma pessoa, a última vez que chegou perto de entrar numa briga semelhante àquelas do seu tempo de menino. Foi em Paris, e você lembra muito bem a data: 1º de setembro, um dia especial no calendário francês, *la rentrée*, o fim oficial das férias de verão, e portanto um dia de multidões e muita confusão. Você, sua mulher e seus filhos haviam passado seis semanas hospedados na casa do seu editor francês no sul do país, cerca de quinze quilômetros a leste de Arles. Fora uma época de descanso para todos vocês, um mês e meio de tranquilidade e trabalho, longas caminhadas e excursões sem rumo pelas serras brancas dos Alpilles, jantares ao ar livre sob a copa do plátano do quintal, talvez o verão mais prazeroso da sua vida, com o prazer adicional de ver sua filha de um ano dar os primeiros passos sem segurar na mão de um dos pais. Você certamente não estava raciocinando bem quando programou a volta a Paris para o dia 1º de setembro, ou talvez simplesmente não compreendesse o que estaria à sua espera ao chegar lá. Você já havia embarcado seu filho de onze anos num voo para Nova York (um voo direto de Nice), de modo que agora estavam num trem seguindo para o norte você, sua mulher e sua filha pequena, mais a bagagem daquele verão e meia tonelada de apetrechos de bebê. Mas você estava com vontade de voltar a Paris, pois seu editor lhe tinha dito que um artigo grande sobre o seu trabalho sairia naquela tarde em *Le Monde*, e você queria comprar um exemplar do jornal assim que saltasse do trem. (Agora você não lê mais artigos sobre sua obra, não lê mais resenhas de seus livros, mas naquele tempo era assim, você ainda não havia descoberto que ignorar o que as pessoas dizem a seu respeito é bom para a saúde mental do escritor.) A viagem de Avignon a Paris via TGV foi um tanto atribulada, principalmente porque sua filha ficou tão impressionada com aquele trem de alta velocidade que não conseguia ficar sentada nem dormir, e por isso vocês passaram a maior parte das três horas de viagem andando de um lado para o outro pelos vagões acompanhando a menina, e quando chegaram à Gare de Lyon você estava precisando tirar um cochilo. A estação estava apinhada de gente, grandes massas de viajantes andando em todas as direções, e foi necessário acotovelar-se e debater-se para chegar à saída, sua mulher carregando a menina e você fazendo o possível para empurrar e puxar as três grandes malas da família — tarefa não muito fácil, pois você só tinha duas mãos. Além disso, você levava a tiracolo uma sacola de lona contendo as primeiras setenta e cinco páginas do romance em que você estava trabalhando, e quando parou para comprar um exemplar de *Le Monde*, você pôs o jornal lá dentro também. Você queria ler o artigo, é claro, mas depois de verificar que de fato a matéria havia sido publicada naquela edição, guardou o jornal, achando que poderia ler quando estivesse na fila do táxi. Quando vocês três finalmente chegaram à saída da estação, porém, ficou claro que não havia fila. Havia táxis diante da estação e havia pessoas esperando pelos táxis, mas nada de fila. A multidão era imensa, e ao contrário dos ingleses, que sempre formam fila quando há mais de três pessoas presentes e aguardam pacientemente até chegar a sua vez, ou até mesmo os americanos, que são menos organizados mas têm um sentimento inato de justiça e fair play, os franceses viram crianças malcriadas quando se veem amontoados em grande número num espaço fechado, e em vez de tentar coletivamente impor alguma ordem ao caos, surge uma situação de cada um por si. O pandemônio diante da Gare de Lyon naquele dia o fez pensar em clipes de notícias que você já vira sobre a Bolsa de Valores de Nova York: a Terça-Feira Negra, a Sexta-Feira Negra, os mercados internacionais desabando, o mundo em ruínas, e ali, no pregão da Bolsa, mil homens desesperados gritando a plenos pulmões, todos prestes a infartar e cair mortos. Era essa a multidão da qual você fazia parte naquele 1º de setembro, vinte e dois anos e meio atrás: a turba estava solta e ninguém mandava em ninguém, e lá estava você, pertinho do local onde outrora ficava a Bastilha, atacada dois séculos antes por uma multidão tão enfurecida quanto essa, mas o que estava em jogo agora não era a revolução, o que as pessoas queriam não era pão nem liberdade, e sim um táxi, e como o número de táxis era menos de um quinto do que deveria ser, todos estavam indignados, gritando, prestes a se estraçalhar mutuamente. Sua mulher estava tranquila, você lembra, achando graça naquele espetáculo à sua volta, e até mesmo a sua filha estava tranquila, olhando para tudo com aqueles olhos grandes e curiosos, mas você já começava a ficar nervoso, você sempre fica mal quando viaja, tenso, irritável, um pouco fora de si, nada lhe parece mais detestável do que se ver preso no meio do caos das multidões, e portanto, ao se dar conta da situação em que estava metido, você concluiu que vocês três teriam de esperar uma ou duas horas ali até conseguirem um táxi, talvez seis horas, talvez cem horas, e então você disse à sua mulher que poderia ser uma boa ideia tentar procurar táxi noutro lugar. Você apontou para um outro ponto de táxi cerca de cem metros dali, ladeira abaixo. "Mas e a bagagem?", ela perguntou. "Você nunca vai conseguir carregar essas três malas pesadas até lá." "Não se preocupe", você respondeu, "eu consigo." É claro que você não conseguiu, ou só conseguiu com muita dificuldade, e depois de arrastar aqueles monstros por apenas vinte ou trinta metros você se deu conta de que havia superestimado em muito a sua própria força, mas àquela altura seria uma insensatez voltar atrás, e assim você tocou em frente, parando a cada dez segundos para reorganizar as malas, passando as duas malas e a terceira mala do braço esquerdo para o direito, do direito para o esquerdo, às vezes colocando uma nas costas e carregando as outras com as mãos, o tempo todo redistribuindo os pesos, sendo que o total deveria chegar a cerca de cinquenta quilos, e naturalmente você começou a suar, seus poros exalavam suor no calor do sol da tarde, e quando chegou ao ponto de táxi já estava absurdamente exausto. "Está vendo?", você disse a sua mulher, "bem que eu falei que eu ia conseguir." Ela sorriu com aquele sorriso que as pessoas dirigem a um imbecil de dez anos de idade, pois o fato é que, embora você tivesse conseguido chegar ao ponto de táxi, não havia táxi nenhum, pois todos os taxistas da cidade estavam indo para a Gare de Lyon. Agora não havia nada a fazer senão esperar, torcendo para que um deles chegasse ali. Os minutos passavam, seu corpo começou a esfriar, voltando mais ou menos para a temperatura normal, e então, justamente quando um táxi surgiu, você e sua mulher viram uma africana jovem, extremamente alta, trajando uma roupa típica colorida e andando com uma postura perfeitamente ereta, com um bebê dormindo numa espécie de tipoia amarrada em torno do seu peito, um saco pesado de compras na mão direita e outro saco pesado na esquerda, e um terceiro saco de compras equilibrado na cabeça. Você se deu conta de que tinha diante de si uma visão da gracilidade humana, o movimento lento e fluido de suas cadeiras que se balançavam, o movimento lento e fluido de seus passos, uma mulher arcando com seus fardos e demonstrando o que lhe pareceu uma espécie de sabedoria, o peso de cada carga bem distribuído, o pescoço e a cabeça perfeitamente imóveis, os braços perfeitamente imóveis, o bebê a dormir no peito, e depois de sua vergonhosa exibição de inépcia arrastando a bagagem da família até aquele lugar, você se sentiu ridículo na presença daquela mulher, humilhado diante de outro ser humano capaz de fazer muito bem uma coisa que você não soubera fazer. A mulher continuava andando na sua direção quando o táxi parou. Aliviado e feliz, você colocou a bagagem no porta-malas e depois se instalou no banco de trás ao lado da sua mulher e filha. "Para onde?", indagou o motorista, e quando você lhe disse para onde queriam ir, ele sacudiu a cabeça e mandou-os saltar do carro. De início você não entendeu. "Como assim?", você perguntou. "Essa corrida", ele respondeu. "É muito curta, e não vou perder meu tempo pra ganhar tão pouco." "Não se preocupe", você disse. "Eu lhe dou uma boa gorjeta." "Eu não quero gorjeta", ele falou. "Só quero que vocês saiam do táxi — agora." "Você está cego?", você exclamou. "Estamos com uma criança pequena e cinquenta quilos de bagagem. O que você quer que a gente faça — vá a pé?" "O problema é seu, não meu", respondeu. "Fora." Não havia nada mais a dizer. Se o filho da puta do motorista não queria levá-los ao endereço que você lhe dera, o que mais você poderia fazer senão sair do táxi, tirar as malas do porta-malas e aguardar a chegada de outro táxi? Agora você estava fervendo de raiva, há anos que você não sentia tanta raiva e frustração — não, você nunca tinha sentido tanta raiva e frustração na sua vida, que você se lembrasse, e depois de retirar a bagagem do porta-malas, quando o motorista começou a se afastar, você pegou a sacola de lona que estava pendurada no seu ombro, que continha a única cópia do livro que você estava escrevendo, para não falar no artigo de *Le Monde* que você estava ansiosamente querendo ler, e jogou-a em direção ao táxi. A sacola bateu com um baque no porta-malas do carro — um barulho que lhe deu muita satisfação, que funcionou como um ponto de exclamação num texto de corpo 50. O motorista freou de repente, saltou do táxi e começou a caminhar na sua direção com os punhos cerrados, gritando que você havia atacado seu precioso veículo, doido para brigar. Você cerrou os punhos também e respondeu aos gritos, dizendo que se ele desse mais um passo em sua direção você o desmontaria peça por peça e depois chutaria tudo para dentro da sarjeta. Ao dizer isso, você não tinha dúvida que estava preparado para embolar-se com ele, que nada iria impedi-lo de cumprir sua promessa de destruir aquele homem, e quando olhou nos seus olhos e viu que você estava falando sério ele deu meia-volta, entrou no táxi e foi embora. Você foi até a rua para pegar a sacola e, naquele momento, ao abaixar-se para pegá-la, você viu a jovem africana caminhando pela calçada com o bebê e as três sacolas pesadas, já a uns cinco metros do lugar onde você estava, e você ficou vendo-a afastar-se, examinando seu passo lento e uniforme, admirado com a imobilidade do corpo dela, percebendo que, fora o leve balançar das cadeiras, nenhuma parte se movia a não ser as pernas.

Um osso quebrado. Considerando-se os milhares de partidas que você jogou quando menino, é de espantar que não tenha quebrado outros, vários outros, no mínimo. Torceduras de tornozelos, contusões nas coxas, raladuras nos joelhos, contusões nos cotovelos, talas nas canelas, pancadas na cabeça, mas apenas um osso quebrado, no ombro esquerdo, numa partida de futebol americano aos catorze anos, motivo pelo qual você não pode levantar o braço por completo há cinquenta anos, mas nenhuma consequência mais séria, você talvez até nem mencionasse o episódio, não fosse o papel nele desempenhado pela sua mãe, de modo que é mais uma história dela do que a história de como você, atuando como zagueiro no seu time da nona série, tentou agarrar uma bola largada na linha de defesa e acabou quebrando um ombro sozinho, sem nenhuma ajuda dos jogadores do time adversário, dando um salto grande demais para recuperar a bola e caindo no lugar errado, na posição errada, quebrando o osso ao se chocar com o chão duro. Era uma tarde gélida no final de novembro, uma partida sem árbitro e sem nenhum adulto supervisionando, e depois de se machucar você ficou na lateral assistindo ao resto da partida, decepcionado por não poder continuar jogando, ainda sem entender que o osso estava fraturado mas cônscio de que o machucado era sério, porque mexer o braço provocava uma dor lancinante. Depois, você voltou para casa com um dos seus amigos pedindo carona, os dois ainda com o uniforme do time, e você lembra como foi difícil retirar a camisa e as ombreiras, tão difícil que só conseguiu com a ajuda do seu amigo. Era sábado, e a casa estava vazia. Sua irmã havia saído com as amigas, seu pai estava no trabalho e sua mãe também estava trabalhando, pois o sábado sempre era um dia importante para ela mostrar casas a compradores em potencial. Cerca de dois minutos depois que seu amigo o ajudou a retirar as ombreiras, o telefone tocou, e ele foi atender porque você estava com dificuldade de se movimentar, pois a dor não parava de crescer. Era sua mãe, e a primeira coisa que ela disse a seu amigo foi: "O Paul está bem?". "Bem", respondeu ele, "não está, não. Parece que ele machucou o braço." E então sua mãe replicou: "Eu sabia. Foi por isso que liguei — porque estava preocupada". Ela disse ao seu amigo que estava vindo diretamente para casa e desligou. Mais tarde, quando levava você de carro ao médico para fazer uma radiografia, ela lhe disse que teve uma sensação súbita naquela tarde, a sensação estranha de

164

que alguma coisa lhe havia acontecido, e quando você lhe perguntou em que momento ela teve essa sensação, pela resposta dela foi possível determinar que a coisa se dera no momento exato em que você estava saltando e fraturando o ombro.

Essa história de "antigamente é que era bom" não é com você. Toda vez que dá por si mergulhando em alguma fantasia saudosista, lamentando a perda das coisas que pareciam tornar a vida melhor do que agora, você diz a si mesmo para parar e pensar com cuidado, examinar o passado de modo tão minucioso quanto você vê o presente, e logo chega à conclusão de que não há muita diferença entre os dois tempos, que presente e passado são essencialmente iguais. É claro que você tem muitas queixas referentes aos males e burrices da vida contemporânea nos Estados Unidos, é raro o dia em que você não embarca numa das suas catilinárias contra a ascensão da direita, as injustiças da economia, o descaso com o meio ambiente, o mau estado da infraestrutura, as guerras insensatas, a barbárie da tortura legalizada e da expatriação de prisioneiros, a desintegração de cidades empobrecidas como Buffalo e Detroit, o enfraquecimento dos sindicatos, as dívidas que impomos a nossos filhos para que eles possam frequentar nossas universidades excessivamente caras, o fosso cada vez maior entre ricos e pobres, para não falar nos filmes ruins que estamos produzindo, a comida ruim que estamos comendo, os pensamentos ruins que estamos pensando. Chega a dar ganas de desencadear uma revolução — ou virar eremita nas florestas do Maine, comendo frutinhas silvestres e raízes. E no entanto, volte ao ano em que você nasceu e tente relembrar como era o país naquela idade de ouro da prosperidade do pós-guerra: leis de segregação racial em todo o Sul, cotas para limitar o número de judeus, abortos feitos em clínicas improvisadas, o decreto-lei de Truman que criou um juramento de lealdade para todos os funcionários públicos, os julgamentos dos dez de Hollywood, a Guerra Fria, o pânico anticomunista, a bomba atômica. Cada momento da história tem seus próprios problemas, suas próprias injustiças, e cada período fabrica suas próprias lendas e ortodoxias. Você tinha dezesseis anos quando Kennedy foi assassinado, tinha ingressado recentemente no colegial, e reza a lenda agora que toda a população do país ficou reduzida a um estado de luto silencioso pelo trauma ocorrido no dia 22 de novembro. Mas a história que você tem a contar é diferente, pois você e dois amigos seus viajaram a Washington no dia do funeral. Você queria estar lá porque admirava Kennedy, que representava uma mudança surpreendente após oito longos anos do governo Eisenhower, mas você também queria estar lá por curiosidade, porque queria saber como seria participar de um *evento histórico*. Foi no domingo depois da sexta-feira em que Ruby matou Oswald com um tiro, e na sua imaginação as multidões que ladeavam as avenidas por onde passava a procissão fúnebre estariam emudecidas e respeitosas, *num estado de luto silencioso*, mas o que você viu naquela tarde foi uma multidão de curiosos barulhentos espichando o pescoço, gente trepada nas árvores com câmaras fotográficas, pessoas empurrando quem estava na frente para ver melhor, e o que mais lhe veio à mente foi a atmosfera de um enforcamento público, a emoção que caracteriza o espetáculo da morte violenta. Você estava lá e viu essas coisas com seus próprios olhos, e no entanto, no decorrer de todos os anos que se passaram desde então, não ouviu uma única vez alguém falar sobre o que realmente aconteceu.

Mesmo assim, há coisas de antigamente das quais você sente saudade, mesmo não tendo desejo de que aqueles tempos voltem. A campainha dos telefones de outrora, o barulho das teclas das máquinas de escrever, o leite que vinha em garrafas de vidro, o beisebol sem lista prévia de batedores, os discos de vinil, as galochas, as meias compridas com ligas, os filmes em preto e branco, os campeões da categoria de pesos pesados, os Brooklyn Dodgers e os New York Giants, os livros de bolso a trinta e cinco centavos, os políticos de esquerda, as leiterias judaicas, os cinemas que passavam dois filmes por sessão, o basquete antes do arremesso de três pontos, os cinemas luxuosos, as câmaras fotográficas não digitais, as torradeiras que duravam trinta anos, o desprezo pela autoridade, os Nash Ramblers e as caminhonetes com painel de madeira. Mas o que lhe dá mais saudade é o tempo em que se podia fumar em lugares públicos. Desde o seu primeiro cigarro aos dezesseis anos (em Washington com seus amigos, no funeral de Kennedy) até o final do milênio anterior, você tinha liberdade — com algumas poucas exceções — para fumar em qualquer lugar que lhe desse na veneta. Para começar, nos restaurantes e bares, mas também nas salas de aula das universidades, nos balcões dos cinemas, nas livrarias e lojas de discos, nas salas de espera dos consultórios médicos, nos táxis, nos estádios abertos e fechados, nos elevadores, nos quartos de hotel, nos ônibus interurbanos, nos aeroportos, nos aviões e nos ônibus dos aeroportos que faziam o trajeto do terminal até o avião. Provavelmente o mundo se tornou melhor com essas leis contra o fumo, mas alguma coisa também se perdeu, e seja lá o que for (uma sensação de relaxamento? tolerância das fraquezas humanas? sociabilidade? ausência de angústia puritana?), você tem saudades.

Há lembranças que lhe parecem tão estranhas, tão improváveis, tão fora do mundo das coisas plausíveis, que lhe é difícil conciliá-las com o fato de que você foi a pessoa que viveu os eventos relembrados. Aos dezessete anos, por exemplo, num voo de Milão a Nova York, voltando da sua primeira viagem ao estrangeiro (para visitar a irmã da sua mãe na Itália, onde ela estava morando havia onze anos), você sentou-se ao lado de uma garota atraente e muito inteligente, de dezoito ou dezenove anos, e após uma hora de conversa vocês passaram o resto da viagem se beijando com uma volúpia exuberante, agarrando-se do modo mais passional diante dos outros passageiros sem a menor vergonha ou constrangimento. Parece impossível que isso tenha acontecido, mas aconteceu. Mais estranho ainda foi o que se deu na última manhã da sua estada na Europa no ano seguinte, que teve início quando você atravessou o Atlântico no navio de estudantes. Você pegou um avião no Shannon Airport, na Irlanda, e sentou-se ao lado de outra garota bonita. Após uma hora de conversa séria sobre livros, faculdades e suas aventuras de verão, vocês dois começaram a se beijar, com tanta ferocidade que por fim jogaram o cobertor sobre seus corpos, e debaixo do cobertor você percorreu com a mão todo o corpo dela, e por baixo da saia, e foi com muita força de vontade que vocês se contiveram e não adentraram o território proibido da foda propriamente dita. Como é possível que uma coisa assim tenha acontecido? Será a energia sexual dos jovens tão poderosa que basta a presença de outro corpo para produzir um convite ao sexo? Você jamais faria uma coisa dessas agora, sequer ousaria pensar em fazer tal coisa — mas é claro que agora você não é mais jovem.

Não, você nunca foi promíscuo, embora às vezes você lamente não ter sido mais imprudente e impulsivo, mas apesar do seu comportamento equilibrado, por duas vezes os terríveis germes da intimidade o pegaram de mau jeito. Gonorreia. Aconteceu uma vez, aos vinte anos, e uma vez foi mais do que bastante. Uma substância viscosa, verde, escorrendo da ponta do pau, a sensação de que um alfinete de metal tinha sido enfiado na sua uretra, e o simples ato de urinar se transformou numa agonia. Você jamais descobriu como foi que pegou gonorreia, a lista de candidatas possíveis era limitada, e nenhuma delas lhe parecia plausível como portadora daquela praga terrível. Cinco anos depois, quando você descobriu que estava com chatos, você também ficou no escuro. Dessa vez não doía, porém coçava sem parar na região do púbis, e quando finalmente olhou lá embaixo para ver o que estava acontecendo, você constatou perplexo que fora infestado por um batalhão de minúsculos piolhos — criaturas de forma idêntica à dos caranguejos que vivem no oceano, porém muito pequenos, do tamanho de joaninhas. Você era tão ignorante a respeito das doenças venéreas que nunca tinha ouvido falar em chatos até ter o problema, jamais imaginava que existissem criaturas como o piolho-do-púbis. A penicilina havia curado a gonorreia, mas para se livrar daqueles bichos que haviam infestado seus pelos pubianos bastou um pó. Um problema menor, até mesmo cômico quando visto de certa distância, mas ao mesmo tempo mais um mistério, outro quebra-cabeça que você jamais foi capaz de resolver, pois você não fazia ideia de quem ou o quê fizera com que aqueles diabinhos incômodos invadissem seu corpo, se havia sido consequência de um contato sexual ou do uso de uma toalha contaminada, ou do simples fato de sentar-se numa privada onde havia um ninho de ovos microscópicos, no banheiro de algum café ou restaurante parisiense. Pequenos demais para serem detectados pelo olho humano, porém tão insidiosos quanto os exércitos de micróbios invisíveis que desencadeiam as pestes e epidemias que devastam países e civilizações inteiras. Felizmente, aqueles bichos estavam sobre a sua pele e não dentro do seu corpo, e quando finalmente eclodiram e entraram em atividade, eram grandes o bastante para que você os enxergasse — e os eliminasse.

As joaninhas, dizia-se, davam sorte. Se uma delas pousasse no seu braço, você devia fazer um pedido antes que ela voasse de novo. Também os trevos de quatro folhas davam sorte, e você passou horas, quando era bem pequeno, andando de gatinhas na grama, procurando esses pequenos tesouros, que de fato existiam mas só eram encontrados raramente, e portanto eram motivo de muita celebração. A primavera era anunciada pelo aparecimento do primeiro tordo, aquele pássaro pardo, de peito vermelho, que de repente, inexplicavelmente, aparecia no seu quintal numa bela manhã, saltitando na grama e fuçando a terra à procura de minhocas. Você contava os tordos que surgiam depois desse, registrando a chegada do segundo, do terceiro, do quarto, acrescentando mais tordos à lista a cada dia, e quando você parava de contar, o frio já tinha ido embora. No primeiro verão depois que vocês se mudaram para a casa da Irving Avenue (1952), a sua mãe plantou um jardim no quintal, e em meio aos aglomerados de plantas anuais e perenes que brotavam na terra do canteiro havia um único girassol, que continuou a crescer com o passar das semanas, primeiro chegando até a altura das suas canelas, depois da sua cintura, depois dos seus ombros e, por fim, tendo alcançado o alto da sua cabeça, o ultrapassou, chegando a uma altura de cerca de um metro e oitenta. O crescimento do girassol foi o acontecimento central daquele verão, um mergulho emocionante no misterioso funcionamento do tempo, e a cada manhã você corria para o quintal para medir-se em relação ao girassol, para ver com que velocidade ele estava se aproximando da sua altura. Naquele mesmo verão você fez o seu primeiro amigo íntimo, o primeiro verdadeiro camarada da sua infância, um menino chamado Billy, que morava numa casa a pouca distância da sua, e como você era a única pessoa que o entendia quando ele falava (Billy engrolava as palavras, que pareciam voltar para dentro de sua boca cheia de saliva antes que pudessem emergir dela como sons bem articulados), ele dependia de você como intérprete para se comunicar com o resto do mundo, e você dependia dele como uma espécie de Huckleberry Finn intrépido, sendo você um Tom Sawyer mais cauteloso. Na primavera seguinte, vocês passaram todas as tardes percorrendo os arbustos juntos, procurando pássaros mortos — principalmente filhotes, você se dá conta agora, que caíram do ninho e não conseguiram voltar. Vocês os enterravam num trecho de terra que corria ao longo da sua casa — eram rituais muito solenes, acompanhados por preces inventadas e longos silêncios. Àquela altura, vocês dois já haviam descoberto a morte e sabiam que era uma coisa séria, que não permitia brincadeiras.

A primeira morte humana de que você se lembra com alguma nitidez ocorreu em 1957, quando a sua avó octogenária caiu no chão, vítima de um infarto, e morreu no hospital naquele mesmo dia. Você não se lembra de ter ido ao enterro, o que indica que você não foi de fato, muito provavelmente porque, aos dez anos, era considerado pelos seus pais muito pequeno para isso. O que ficou na sua memória foi a escuridão da casa nos dias que se seguiram, gente entrando para observar a *shivá* com o seu pai na sala de visitas, homens desconhecidos murmurando preces incompreensíveis em hebraico, aquela estranha comoção silenciosa, o sofrimento do seu pai. Você, pessoalmente, não sentiu quase nada com essa morte. Não tinha nenhuma relação com sua avó, ela não lhe dava amor, não tinha nenhuma curiosidade a seu respeito, não demonstrava o menor afeto, e as poucas vezes em que colocou os braços a seu redor, dando-lhe um abraço de avó, você sentiu medo, querendo que o abraço terminasse logo. O assassinato ocorrido em 1919 ainda era na época um segredo de família, você só ficaria sabendo aos vinte e poucos anos, mas sempre havia sentido que sua avó era louca, que aquela mulherzinha imigrante que falava inglês com dificuldade e às vezes tinha violentos acessos em que ficava gritando era alguém de quem se devia manter distância. Enquanto as pessoas vinham prestar condolências à família, você continuava com a sua rotina de menino de dez anos, e quando o rabino pôs a mão no seu ombro e lhe disse que não havia problema em jogar beisebol naquela tarde, você subiu até o quarto, vestiu o uniforme e saiu de casa correndo.

Onze anos depois, a morte da mãe da sua mãe foi bem diferente. Você já era crescido, o raio que caiu sobre seu amigo e o matou quando você tinha catorze anos já havia lhe ensinado que o mundo era caprichoso e instável, que o futuro pode nos ser roubado a qualquer momento, que o céu está cheio de raios que podem cair e matar os jovens tanto quanto os velhos, e que sempre, sempre, o raio cai quando a gente menos espera. Essa era a avó de quem você gostava, a mulher formal e um pouco nervosa que você amava, a que sempre ficava com você e que era uma presença constante na sua vida, e agora que está pensando na morte dela, na natureza dessa morte, que foi lenta, terrível, angustiante de se ver, você se dá conta de que todas as outras mortes da sua família foram súbitas, uma série de raios semelhantes àquele que fulminou o seu amigo: a mãe do seu pai (infarto, morta em questão de horas), o pai do seu pai (levou um tiro e morreu antes que você o conhecesse), o seu pai (infarto, morto em segundos), a sua mãe (infarto, morta em minutos), e até mesmo o pai da sua mãe, cuja morte não foi instantânea, que chegou até os oitenta e cinco anos com boa saúde e então, após um rápido declínio de duas ou três semanas, morreu de pneumonia, ou seja, morreu de velhice — uma morte invejável, você pensa, viver intensamente até a nona década e então, em vez de ser eletrocutado por um raio, ter a oportunidade de assimilar o fato de que você está chegando ao fim, a oportunidade de refletir por algum tempo, depois adormecer e ir flutuando em direção à terra do nada. Sua avó não foi flutuando para lugar nenhum. Durante dois anos ela foi arrastada em cima de um leito de pregos, e quando morreu, aos setenta e três anos, já não restava quase nada dela. Esclerose lateral amiotrófica. Você já viu corpos de pessoas consumidos pelo autocanibalismo do câncer virulento, viu outros sendo gradualmente estrangulados pelo enfisema, mas a ELA é igualmente devastadora e cruel, e uma vez feito o diagnóstico não há esperança, não há remédio, não há nada a esperar senão uma trajetória prolongada rumo à desintegração e à morte. Os ossos derretem. O esqueleto dentro da pele vira massa de modelar, e um por um os órgãos vão pifando. O que tornou o caso da sua avó particularmente insuportável foi o fato de que os primeiros sintomas surgiram na garganta, e as funções de fala foram afetadas antes de qualquer outra coisa: laringe, língua, esôfago. Um dia, sem mais nem menos, ela começou a ter dificuldade de pronunciar as palavras com clareza, as sílabas saíam engroladas, ligeiramente distorcidas. Um ou dois meses depois, a distorção já era alarmante. Mais alguns meses depois, o catarro impedia que ela terminasse as frases, ela engasgava, sentia-se humilhada por esses obstáculos, e como nenhum médico em Nova York conseguia entender o que estava acontecendo com ela, sua mãe a levou à Mayo Clinic para um exame geral. Foram os médicos de Minnesota que pronunciaram sua sentença de morte, e não demorou para que a fala dela se tornasse ininteligível. A partir daí sua avó foi obrigada a se comunicar por escrito, andando sempre com um pequeno lápis e um bloco de papel, se bem que por algum tempo ela não parecia ter nenhum outro problema, ainda conseguia andar, ainda participava da vida à sua volta, mas os meses foram passando e a musculatura de sua garganta continuou a atrofiar, a deglutição se tornou difícil, comer e beber passaram a ser um sofrimento constante, e por fim o resto do organismo também começou a traí-la. Nas primeiras duas semanas no hospital ela ainda conseguia usar as pernas e as mãos, ainda se comunicava com o lápis e o bloco, muito embora sua letra tivesse se deteriorado muito, e então ela passou a ser cuidada por uma enfermeira particular chamada srta. Moran (uma mulher baixa e eficiente, com um ricto de falsa alegria constantemente estampado no rosto), que mantinha o bloco e o lápis afastados da sua avó, e quanto mais a sua avó rosnava em protesto, mais ela lhe negava o bloco. Assim que você e a sua mãe perceberam o que estava acontecendo, Moran foi despedida, mas a batalha que sua avó havia travado contra a enfermeira sádica esgotou suas últimas forças. Aquela mulher delicada e discreta que lia contos de Maupassant para você quando você estava doente, que o levava para ver espetáculos no Radio City Music Hall, que o levava para tomar sundaes e fazer lanches no Schrafft's, estava morrendo no Doctors Hospital, no Upper East Side de Manhattan, e pouco depois de ficar fraca demais para segurar o lápis ela perdeu a lucidez. As forças que ainda lhe restavam foram canalizadas para a raiva, uma raiva enlouquecida que a tornou irreconhecível e que se expressava em urros constantes, os urros sufocados e contidos de uma pessoa impotente, imobilizada, lutando com todas as forças para não se afogar numa poça do próprio catarro. Nascida em Minsk, 1895. Morta em Nova York, 1968. "O fim de uma vida é amargo" (Joseph Joubert, 1814).

As coisas eram como eram, e você jamais parava para questioná-las. Havia escolas públicas e escolas católicas na sua cidade, e por não ser católico você frequentava as escolas públicas, que eram consideradas boas, ao menos pelos critérios utilizados para avaliar tais coisas naquela época, e, segundo sua mãe lhe disse anos depois, foi por esse motivo que a sua família havia se mudado para a casa na Irving Avenue alguns meses antes de você entrar para o jardim da infância. Você não tem nenhum termo de comparação, mas nos treze anos que passou na rede pública de ensino, os sete primeiros na Marshall School (do jardim à sexta série), os três seguintes na South Orange Junior High School (da sétima à nona) e os últimos três na Columbia High School em Maplewood (da décima à décima segunda), você teve alguns professores bons e alguns medíocres, um punhado de professores excepcionais e inspiradores e um punhado de professores péssimos e incompetentes, e teve colegas que iam de brilhantes a medianos até quase idiotas. É o que acontece em toda escola pública. Todos aqueles que moram no distrito podem estudar de graça, e como no seu tempo não existia educação especial, não havia escolas separadas para receber crianças ditas problemáticas, alguns de seus colegas tinham defeitos físicos. Ninguém andava em cadeira de rodas que você se lembre, mas jamais lhe saíram da lembrança o menino corcunda com o corpo retorcido, a menina que não tinha um dos braços (apenas um toco sem dedos que saía do ombro), o garoto que se babava o tempo todo e molhava a camisa, a garota que era praticamente uma anã. Olhando para trás agora, você tem a impressão de que essas pessoas foram uma parte essencial da sua educação, que sem a presença delas na sua vida a sua compreensão do que significa ser humano teria sido empobrecida, faltando-lhe profundidade e compaixão, uma compreensão da metafísica da dor e da adversidade, pois essas crianças eram heroicas, eram obrigadas a se esforçar dez vezes mais do que todas as outras para conseguir encontrar um lugar no mundo. Se só tivesse conhecido crianças fisicamente perfeitas, crianças que, como você, nunca pararam para pensar na bênção que é ter um corpo bem formado, como você poderia ter aprendido o sentido do heroísmo? Um dos seus amigos daquela época era um menino gorducho, nem um pouco atlético, que usava óculos e tinha uma cara feiosa, sem queixo, mas os colegas gostavam muito dele por ser espirituoso e ter senso de humor, por ser excelente em matemática e por manifestar o que naquela época lhe pareceu uma generosidade extraordinária. Ele tinha um irmão mais novo que era inválido, sofria de um mal que prejudicara seu crescimento e o deixara com os ossos frágeis, que se quebravam ao menor contato com uma superfície dura, que se quebravam sem nenhum motivo, e você se lembra de ir à casa do seu amigo depois da aula em várias ocasiões e visitar o irmão dele, que era apenas um ou dois anos mais novo do que você, deitado numa cama de hospital cheia de roldanas e fios, as pernas engessadas, com uma cabeça grande e uma pele incrivelmente pálida, e você mal conseguia abrir a boca naquele quarto, por se sentir nervoso, talvez um pouco assustado, mas o irmão era um bom garoto, simpático, afável, inteligente, e você sempre achou uma coisa absurda, sempre ficou indignado de pensar que ele era obrigado a viver deitado naquela cama, e toda vez que o via perguntava a si próprio que deus idiota havia decretado que aquele menino, e não você, teria que viver preso naquele corpo. Seu amigo era um irmão dedicado, os dois eram os irmãos mais apegados que você já conheceu, compartilhando um mundo que era só deles, um universo secreto dominado por uma obsessão mútua por um jogo de beisebol fantasioso que eles jogavam, um jogo de tabuleiro com dados, cartas, regras complicadas e estatísticas sofisticadas, anotando meticulosamente cada partida que jogavam, formando campeonatos inteiros, iniciando um novo campeonato a cada um ou dois meses, uma série de campeonatos de partidas imaginárias que se sucediam com o passar dos anos. Nada mais justo, você percebe agora, que exatamente esse amigo tenha lhe telefonado uma noite no inverno de 1957-8, não muito tempo depois que os Dodgers anunciaram sua mudança do Brooklyn para Los Angeles, a fim de lhe contar que Roy Campanella, o grande apanhador, havia sofrido um acidente de carro, um acidente tão terrível que mesmo se sobrevivesse ficaria paralítico o resto da vida. Seu amigo chorava ao telefone.

23 de fevereiro: há trinta anos você conheceu sua mulher, há trinta anos vocês passaram a primeira noite juntos. Vocês dois saem de casa no final da tarde, atravessam a Brooklyn Bridge e se hospedam num hotel no sul de Manhattan. Um luxo, talvez, mas vocês não querem que essas vinte e quatro horas passem sem que tenham feito nada para marcar a ocasião, e como a ideia de dar uma festa sequer lhes ocorreu (por que motivo um casal haveria de querer celebrar sua longevidade na frente dos outros?), você e a sua mulher jantam sozinhos no restaurante do hotel. Depois, pegam o elevador, saltam no nono andar e entram no quarto, onde tomam uma garrafa de champanhe, esquecendo de ligar o rádio, esquecendo de ligar a TV para explorar os quatro mil filmes disponíveis, e enquanto tomam o champanhe vocês conversam, durante algumas horas não fazem outra coisa senão conversar, não sobre o passado e os trinta anos que ficaram para trás, mas sobre o presente, sobre a sua filha e a mãe da sua mulher, sobre os trabalhos que vocês dois estão fazendo no momento, sobre uma série de coisas, relevantes e triviais, e quanto a isso essa noite não é diferente de qualquer outra noite do casamento de vocês, pois vocês sempre conversaram, é isso

que de algum modo define vocês dois, e durante todos esses anos vem se prolongando uma conversa ininterrupta que iniciou no dia em que se conheceram. Lá fora, mais uma noite fria de inverno, mais uma chuva gelada açoitando as janelas, mas você está deitado na cama com a sua mulher agora, e a cama do hotel é quente, os lençóis são macios e confortáveis, e os travesseiros são verdadeiramente gigantescos.

Muitas paixonites e flertes, mas apenas dois amores de verdade na sua juventude, dois cataclismos, um no meio da adolescência e outro no final dela, ambos desastrosos, seguidos pelo seu primeiro casamento, que também terminou em desastre. A partir de 1962, quando você se apaixonou pela linda menina inglesa da sua turma de inglês na décima série, você parecia ter um talento especial para correr atrás da pessoa errada, desejar aquilo que não podia ser seu, dar seu coração a garotas que não podiam ou não queriam amá-lo. Por vezes elas se interessavam pela sua inteligência, de vez em quando pelo seu corpo, mas não tinham nenhum interesse pelo seu coração. Garotas amalucadas, ambas belíssimas e autodestrutivas, que o atraíam profundamente, mas você não entendia quase nada a respeito delas. Elas eram invenções suas. Você as usava como concretizações fictícias dos seus próprios desejos, ignorando os problemas e a história pessoal delas, não vendo que elas existiam fora da sua imaginação, e no entanto quanto menos as compreendia, maior a paixão que você sentia por elas. A garota do colegial entrou numa greve de fome secreta e acabou no hospital. A palavra *anorexia* não fazia parte do seu vocabulário na época, e por isso você pensava em câncer ou leucemia (a doença que matara a mãe dela alguns anos antes), pois como explicar que aquele corpo outrora belo havia murchado daquela maneira, tornando-se horrivelmente emaciado? Você

178

lembra que tentou visitá-la no hospital, mas não o deixaram entrar; todas as tardes impediam a sua entrada, você desesperado de amor e de medo, mas no final das contas ela não fora feita para namorar meninos, e muito embora o seu caminho tenha cruzado com o dela umas duas vezes quando você estava com vinte e poucos anos (Nova York, 1968; Paris, 1972), ela era essencialmente uma garota feita para outras garotas, e portanto você nunca teve nenhuma chance com ela. A segunda história começou no inverno do seu primeiro ano de faculdade, quando você se apaixonou por mais uma garota instável que o queria e não o queria ao mesmo tempo, e quanto mais ela não o queria, mais intensamente você a queria. Um trovador apaixonado e sua dama inconstante, e mesmo depois que ela cortou os pulsos numa tentativa de suicídio não muito séria, alguns anos depois, você continuou a amá-la, aquela garota com os curativos brancos nos punhos e o sorriso cativante e torto nos lábios, e então, depois que foram retirados os curativos, você a engravidou, porque a camisinha se rompeu, e você gastou até o último centavo para pagar o aborto. Uma lembrança brutal, mais uma daquelas coisas que até hoje o mantêm acordado à noite, e embora você não tenha dúvida de que tomaram a decisão correta de não ter aquele filho (pais aos dezenove e vinte anos, uma ideia grotesca), a lembrança daquela criança não nascida ainda o atormenta. Você sempre imaginava que seria uma menina, uma menina ruiva, uma garota maravilhosa com cabelos de fogo, e é doloroso se dar conta de que ela estaria agora com quarenta e três anos, o que significa que muito provavelmente você teria se tornado avô há algum tempo, talvez há bastante tempo. Se você a tivesse deixado viver.

Tendo em vista seus fracassos anteriores, seus erros de julgamento, sua incapacidade de compreender a si próprio e aos outros, suas decisões impulsivas e imprevisíveis, sua tendência a meter os pés pelas mãos em questões amorosas, é curioso que você tenha terminado num casamento tão duradouro. Você já tentou compreender as razões dessa mudança inesperada, mas nunca conseguiu encontrar uma resposta. Você conheceu uma desconhecida uma noite e apaixonou-se por ela — e ela se apaixonou por você. Você não fez nada para merecer isso, mas também não fez nada para desmerecê-lo. A coisa simplesmente aconteceu, e não há como explicá-la, é apenas uma questão de sorte.

Desde o início, com ela tudo foi diferente. Dessa vez não se tratava de uma ficção, uma projeção da sua fantasia, e sim uma pessoa de verdade, que lhe impôs a realidade dela desde o momento em que vocês começaram a conversar, o que ocorreu assim que o único conhecido que tinham em comum apresentou um ao outro no saguão da Associação Hebraica de Jovens da rua 92, após uma leitura de poesia, e como ela não se fazia de difícil nem era evasiva, porque ela o olhava nos olhos e se afirmava como alguém que tinha os pés bem plantados no chão, não havia como você transformá-la em algo que ela não era — não havia como inventá-la, tal como você fizera com outras mulheres no passado, pois ela já havia se inventado. Bela, sim, sem dúvida alguma belíssima, uma loura esguia com mais de um metro e oitenta de altura, pernas longas e magníficas e os pulsos delicados de uma criança de quatro anos, a maior pessoa pequena que você já vira, ou talvez a menor pessoa grande, e no entanto você não estava contemplando um exemplar remoto de esplendor feminino, e sim conversando com um ser humano de carne e osso. Um sujeito, não um objeto, e portanto as ilusões estavam fora de questão. Não podia haver engano. A inteligência é a única faculdade humana que não pode ser falsificada, e depois que seus olhos se ajustaram ao brilho deslumbrante da beleza dela, você se deu conta de que aquela mulher era brilhante, uma das mentes mais poderosas que você já conhecera.

Pouco a pouco, à medida que você a foi conhecendo melhor nas semanas que se seguiram, ficou claro que vocês dois concordavam em praticamente tudo que tinha importância. As posições políticas eram iguais, a maioria dos livros que você admirava também eram admirados por ela, e vocês dois tinham atitudes semelhantes a respeito do que era mais importante na vida: amor, trabalho e filhos — sendo que o dinheiro e as posses ocupavam posições bem inferiores na lista. Você ficou aliviado quando constatou que suas personalidades eram muito diferentes. Ela ria mais do que você, era mais livre e mais extrovertida do que você, mais calorosa do que você, e no entanto, bem no fundo, naquele ponto mais profundo em que vocês dois estavam unidos, estava claro que ela era uma outra versão de você mesmo — só que mais desenvolvida, mais capaz de exprimir aquilo que você mantinha reprimido no seu íntimo, uma pessoa mais equilibrada. Você a adorava, e pela primeira vez na vida a pessoa que você adorava também o adorava. As origens de um e de outro eram totalmente diferentes: uma moça luterana de Minnesota e um judeu já não tão moço de Nova York, mas apenas dois meses e meio depois daquele encontro ocorrido por acaso naquele 23 de fevereiro, trinta anos atrás, vocês resolveram morar juntos. Até então, todas as decisões que você tomara em relação às mulheres tinham sido erradas — mas não esta.

Ela era aluna de pós-graduação e poeta, e nos primeiros cinco anos de vida em comum você a viu terminar seu curso, estudar para o exame oral e passar, e em seguida enfrentar o trabalho árduo de escrever uma tese (sobre linguagem e identidade em Dickens). Ela publicou um livro de poesia durante esse período, e como o dinheiro era curto no início do casamento ela fez trabalhos diversos, organizando uma antologia em três volumes publicada pela Zone Books, revisando em segredo a tese de doutorado de outra pessoa sobre Jacques Lacan e também lecionando, acima de tudo lecionando. Sua primeira turma era formada por empregados de baixo escalão de uma companhia de seguros, jovens ambiciosos que queriam aumentar a possibilidade de serem promovidos fazendo um curso intensivo de gramática e redação. Duas vezes por semana, sua mulher chegava em casa contando histórias sobre os alunos, algumas divertidas, outras comoventes, mas a que ficou mais gravada na sua memória é a de um erro absurdo que apareceu numa prova final. No meio do semestre, sua mulher tinha dado uma aula sobre diversas figuras de linguagem, entre elas o eufemismo. Como exemplo, ela explicou que "falecer" era um eufemismo de "morrer". Na prova final, ela pediu que os alunos dessem uma definição da palavra "eufemismo", e um deles, que não havia prestado muita atenção na aula, respondeu: "Eufemismo quer dizer *morrer*". Depois da companhia de seguros ela passou a trabalhar no Queens College, onde foi professora adjunta por três anos, com muito trabalho e salário baixo, dois cursos por semestre, um de gramática e outro de redação, vinte e cinco alunos por turma, cinquenta trabalhos para corrigir por semana, três reuniões individuais com cada aluno por semestre, uma viagem de duas horas de Cobble Hill a Flushing, que começava às seis da manhã e incluía dois metrôs e um ônibus, depois outra viagem de duas horas na volta, tudo isso para ganhar oito mil dólares por ano, sem benefícios adicionais. O longo expediente deixava-a exausta, não apenas por causa do trabalho e do deslocamento físico, mas também pelas horas passadas sob as luzes fluorescentes do Queens College, aquelas lâmpadas que piscam rapidamente e têm o efeito de provocar dores de cabeça nas pessoas que sofrem de enxaqueca, e como sua mulher tinha esse problema desde a infância era rara a noite em que ela não chegava em casa com olheiras profundas e a cabeça estourando de dor. A tese dela avançava lentamente, os horários de trabalho eram tão fragmentados que não sobravam períodos mais longos em que ela pudesse se concentrar na pesquisa e na escrita, mas de repente a sua situação financeira começou a melhorar um pouco, o bastante para que você a convencesse a parar de dar aulas, e assim que se viu livre desse encargo ela terminou a tese sobre Dickens em seis meses. A questão mais importante era saber por que ela estava tão decidida a terminar a tese. A pós-graduação de início fazia sentido: uma mulher solteira precisa de um emprego, especialmente se sua família não tem dinheiro, e muito embora sua ambição fosse escrever, ela não podia contar com a carreira literária para se sustentar, e portanto resolvera se tornar professora. Mas agora as coisas eram diferentes. Ela havia se casado, sua situação financeira era cada vez menos precária, não fazia mais parte dos seus planos abraçar a carreira acadêmica, e no entanto ela continuou trabalhando na tese até conseguir concluir o doutorado. Vez após vez você lhe perguntava por que isso era tão importante, e as diversas respostas que você ouviu mostram bem o tipo de pessoa que ela era na época e continua a ser ainda hoje. Primeiro, porque ela não queria abandonar uma coisa que havia começado a fazer. Era uma questão de teimosia e orgulho. Segundo, porque ela era mulher. Para um homem, largar o doutorado após um ano não é problema nenhum, os homens controlam o mundo, mas a mulher que possui um título de pós-graduação conquista certo grau de respeito nesse mundo de homens, não vai ser olhada com tanta condescendência quanto as que não têm tal título. Terceiro, porque ela gostava muito daquilo. O trabalho duro, a disciplina do estudo intenso, tudo isso tivera o efeito de lhe abrir a mente, e mesmo se no futuro ela passasse a maior parte do tempo escrevendo romances (ela já havia começado o primeiro), não pretendia abandonar a vida intelectual uma vez que obtivesse o título de doutora. Essas discussões ocorreram mais de vinte e cinco anos atrás, mas era como se ela já tivesse começado a divisar o seu futuro em linhas gerais. De lá para cá, publicou cinco romances e tem um sexto já em preparação, mas também quatro livros de não ficção, a maioria deles de ensaios, dezenas de ensaios sobre uma gama muito ampla de assuntos: literatura, arte, cultura, política, cinema, cotidiano, moda, neurociência, psicanálise, filosofia da percepção e fenomenologia da memória. Em 1978, ela foi um dos cem alunos que entraram no programa de pós-graduação em inglês na Universidade Columbia. Sete anos depois, era um dos três únicos que haviam conseguido chegar ao fim.

Ao se casar com a sua mulher, você entrou para a família dela, e como os pais ainda moravam na casa em que ela passou a infância, outro território foi aos poucos absorvido pela sua corrente sanguínea: Minnesota, a província mais setentrional do mundo rural do norte do Meio-Oeste. Não o mundo plano que você imaginava, e sim um terreno ondulado com picos pequenos e baixadas curvas, sem montanhas nem serras, porém nuvens ao longe que simulam montanhas e serras, um volume ilusório, uma massa de branco vaporoso para suavizar a monotonia daquela extensão imensa de terra ondulada, e nos dias em que não há nuvens, as plantações de alfafa que se prolongam até o horizonte, um horizonte baixo e longínquo sob o arco de um céu enorme, infinito, um céu tão grande que chega até a ponta dos pés da gente. Os invernos mais frios do mundo, seguidos por verões escaldantes e úmidos, um calor tórrido que desce sobre a gente com um milhão de mosquitos, tantos que há camisetas à venda representando esses camicases homicidas, com a legenda MINNESOTA — O PÁSSARO OFICIAL DO ESTADO. A primeira vez que foi lá, para passar dois meses no verão de 1981, você estava escrevendo o prefácio da sua antologia de poesia francesa do século XX, um texto razoavelmente longo, de quarenta e tantas páginas; e como os pais da sua futura esposa estavam viajando, você se instalou no escritório do seu futuro sogro no campus do St. Olaf College, produzindo parágrafos sobre Appolinaire, Reverdy e Breton numa sala decorada com imagens de capacetes vikings, indo de carro todas as manhãs para o campus, que numa determinada semana voltou à vida de repente quando a faculdade alugou algum dos prédios para um evento anual, a Conferência de *Coaches* Cristãos, você adorava ver aqueles *coaches* passando pelo seu carro quando você o estacionava ao chegar, dezenas de homens quase idênticos, cabelo cortado à escovinha, barrigudos, de bermudas, e você ia para o escritório do Departamento de Norueguês para escrever mais uma ou duas páginas sobre poetas franceses. Você estava em Northfield, uma cidade que se apresentava como "Terra de vacas, de faculdades e de felicidade", uma cidadezinha com cerca de oito mil habitantes, conhecida como o lugar onde Jesse James e seu bando foram mortos durante uma tentativa de assalto (furos de balas ainda existem nas paredes do banco na Division Street), mas em pouco tempo você escolheu como seu lugar predileto a fábrica de Malt--O-Meal na estrada 19, com suas chaminés altas despejando nuvens brancas daquele grão com cheiro de nozes usado na receita do cereal escuro, com textura de farinha, uma fábrica que ficava a meio caminho entre a casa dos seus futuros sogros e o centro da cidade, a apenas algumas centenas de metros dos trilhos ferroviários diante dos quais você parou com a sua mulher numa tarde daquele verão, enquanto um trem passava lentamente, o maior trem que você já viu, com um número de vagões entre cem e duzentos, mas você não teve tempo de contá-los porque você e a sua futura esposa estavam conversando, principalmente sobre o apartamento que iriam procurar quando voltassem à Nova York, e foi então que a questão do casamento surgiu pela primeira vez, não apenas viver juntos sob o mesmo teto mas também se unir com os laços do matrimônio, era o que ela queria, e insistia, e muito embora você tivesse resolvido que nunca mais se casaria, você topou, estava disposto a se casar com ela se era isso que ela queria, pois já a amava há um tempo suficiente para saber que tudo que ela queria era precisamente o mesmo que você queria. Foi por isso que você prestou tanta atenção a tudo que havia à sua volta naquele verão, porque fora ali que ela havia passado a infância e a juventude, e examinando os detalhes daquela paisagem você julgava que poderia vir a conhecê-la melhor, compreendê-la melhor, à medida que foi conhecendo o pai, a mãe e as três irmãs mais novas dela, um por um, você começou a adquirir uma compreensão daquela família, o que por sua vez o ajudou a compreender melhor aquela mulher, a sentir a solidez do chão que ela pisava, pois era uma família sólida, muito diferente daquela família fraturada e provisória no seio da qual você havia crescido, e não demorou para que você se tornasse um deles, pois aquela família, para sua felicidade eterna, era agora sua também.

Então começaram as visitas no inverno, as reuniões familiares na virada do ano, de sete a dez dias num mundo congelado de ar silencioso, com um vento que penetrava seu corpo como um punhal, olhando para o termômetro pela janela da cozinha de manhã e vendo que o mercúrio vermelho marcava uma temperatura de trinta graus negativos, trinta e cinco graus negativos, temperaturas tão inóspitas que você muitas vezes perguntava a si próprio como era que alguém conseguia morar num lugar assim, sua cabeça se enchia de imagens de famílias sioux enroladas dos pés à cabeça em peles de búfalos, famílias de pioneiros morrendo congeladas naquela pradaria que mais parecia tundra.

Não existe frio igual aquele, um frio impossível que paralisa os músculos do rosto no momento em que se sai de casa, que agride a pele, fazendo-a arrepiar-se, que coagula o sangue nas veias, e no entanto uma vez, não faz muitos anos, toda a família saiu na escuridão para ver a aurora boreal, foi a única vez que você a viu, uma cena inesquecível, inimaginável — todos parados no frio olhando para um céu esverdeado, um tom de verde que brilhava contra a muralha negra da noite, nada que você já tenha visto chega perto da grandeza febril daquele espetáculo. Em outras noites, noites de céu límpido, sem nuvens, um céu atulhado de estrelas, estrelas de horizonte a horizonte, numa abundância que você jamais viu em qualquer outro lugar, tantas estrelas que parecem fundir-se em densas lagoas líquidas, um mingau de brancura no céu, e as manhãs brancas que se seguem, as tardes brancas, a neve, a neve que cai incessantemente à sua volta, neve até os joelhos, até a cintura, crescendo como o girassol que ultrapassou a sua cabeça no jardim da sua mãe quando você era menino, uma quantidade de neve que você nunca viu em nenhum outro lugar, e de repente você está rememorando um momento de meados dos anos 90, quando você, sua mulher e sua filha haviam feito a peregrinação natalina a Minnesota de todos os anos, lá está você, dirigindo o carro, numa noite de nevasca, indo da casa de uma das irmãs da sua mulher em Minneapolis à casa dos pais dela em Northfield, uma distância de pouco mais de sessenta quilômetros. No banco de trás há três gerações de mulheres (sua sogra, sua mulher e sua filha), e a seu lado, no banco do carona à sua direita, está o seu sogro, um homem que trata você bem desde que você se casou com sua filha mais velha, embora sob certos aspectos seja uma pessoa distante e fechada, tal como seu pai, dois homens que tiveram uma infância difícil e pobre, sendo que no caso do seu sogro ainda houve a provação adicional de servir, quando bem jovem, como soldado de infantaria na Segunda Guerra Mundial (a batalha de Luzon, as Filipinas, as selvas da Nova Guiné), mas você desde menino é especialista na arte de se comunicar com homens fechados, e se o seu sogro por vezes lembra o seu pai, você percebe que há um reservatório maior de calor humano e ternura dentro dele, que é mais fácil conhecê-lo do que era conhecer seu pai, que ele é um membro mais integrado à espécie humana. Você tem quarenta e seis, quarenta e sete anos, está em excelente forma física, um homem ainda relativamente jovem em plena meia-idade, e como ainda é conhecido como *bom motorista*, o contingente feminino no banco de trás tem absoluta confiança na sua capacidade de levá-los sãos e salvos até Northfield, e como confiam em você, elas não se preocupam com os perigos potenciais daquela tempestade. Durante toda a viagem, aliás, as três conversam com animação a respeito de uma série de assuntos, agindo como se estivessem numa noite agradável de verão, mas no momento em que dá a partida no carro e se afasta da casa da sua cunhada, tanto você quanto o seu sogro se dão conta de que aquela viagem vai ser infernal, que as condições meteorológicas são quase inviáveis. Assim que você chega à estrada 1-35 e toma a direção do sul, a neve açoita o para-brisa, e embora os limpadores estejam a toda a velocidade não dá para enxergar quase nada, pois a neve começa a acumular-se sobre o vidro no mesmo instante que os limpadores terminam de descrever seu arco. Não há postes de iluminação na estrada, mas os faróis dos carros que vêm em sentido contrário na outra pista iluminam a neve que cai no para-brisa, de modo que o que você vê não é mais neve, e sim uma chuva de luzinhas que ofuscam a sua visão. O pior de tudo é que a pista está escorregadia, lisa e gelada como um rinque de patinação, e se você acelerasse para uma velocidade acima de quinze ou vinte quilômetros por hora os pneus perderiam a tração e os freios parariam de funcionar. A cada cinquenta ou cem metros, tanto à esquerda quanto à direita, você passa por automóveis que escorregaram e foram parar fora da pista, caídos de banda sobre montes de neve. Seu sogro, que passou a vida toda em Minnesota, conhece muito bem os perigos de uma nevasca como esta, e ele está totalmente com você enquanto você avança vagarosamente noite adentro, sentado no lugar do copiloto e tentando enxergar através das nuvens de neve que continuam a cair no para-brisa, alertando-o a respeito das curvas que há pela frente, mantendo-o calmo e concentrado, dirigindo com você mentalmente, nos músculos de seu corpo, e assim é que vocês finalmente conseguem chegar à casa em North-field, você e o velho soldado na frente, as mulheres no banco de trás, uma viagem de duas horas em vez dos trinta ou quarenta minutos costumeiros, e quando vocês cinco entram em casa as mulheres continuam conversando e rindo, mas o seu sogro, que sabe que os seus nervos estão à flor da pele, pois os dele também estão, lhe dá um tapinha nas costas e pisca o olho de leve para você. Cinquenta anos depois de aposentar o uniforme, o sargento bate continência para você.

Ceia de Natal em Northfield, Minnesota, todos os anos, desde 1981 até a morte do seu sogro em 2004, quando então a casa da família foi vendida, sua sogra mudou-se para um apartamento e a tradição foi alterada de modo a adaptar-se às novas circunstâncias. Mas por quase um quarto de século a refeição obedeceu a uma formalidade que incluía os menores detalhes, nem um único elemento diferente do que ocorrera no ano anterior, e a mesa à qual você se sentou em 1981, em que só havia sete pessoas — sua sogra e seu sogro, sua mulher, as três irmãs dela e você — foi aos poucos aumentando à medida que um ano dava lugar a outro e as irmãs mais moças se casaram e começaram a ter filhos, de modo que, ao final daquele quarto de século, havia dezenove familiares ao redor da mesa, incluindo pessoas velhas e muito velhas, pessoas jovens e muito jovens. É importante observar que o Natal era comemorado na noite do dia 24, e não na manhã e tarde do dia 25, pois embora a família da sua mulher vivesse no coração dos Estados Unidos ela era, e ainda é, uma família escandinava, uma família norueguesa, e todos os protocolos natalinos seguiam as convenções de lá, e não as daqui. Sua sogra, nascida na cidade mais meridional da Noruega em 1923, só atravessou o Atlântico aos trinta anos, e embora seu inglês seja fluente, ela continua a falar esta sua segunda língua com um sotaque norueguês pronunciado. Ela viveu a guerra e a ocupação alemã quando jovem, passou nove dias na prisão por ter participado de uma das primeiras passeatas de protesto contra os nazistas aos dezessete anos (se isso tivesse ocorrido mais tarde, quando a guerra estava mais adiantada, diz ela, teria sido levada para um campo de concentração), e seus dois irmãos mais velhos eram membros ativos da resistência (um deles, depois que sua célula foi descoberta, fugiu para a Suécia de esqui para não ser preso pela Gestapo). Sua sogra é uma mulher inteligente e lida, uma pessoa pela qual você sente muita admiração e afeto, mas de vez em quando seus problemas com a língua inglesa e a geografia americana produzem momentos estranhos, sendo talvez o mais hilariante o ocorrido numa noite, há quinze ou dezesseis anos, quando o avião em que ela e o marido iam para Boston não pôde aterrissar porque o aeroporto estava encoberto pela neblina, e assim o voo foi desviado para Albany, no estado de Nova York, e chegando lá ela telefonou para a sua mulher e anunciou: "Estamos na Albânia! Vamos passar a noite na Albânia!". Quanto a seu sogro, também ele era profundamente norueguês, embora na verdade fosse americano de terceira geração, nascido em Cannon Falls, Minnesota, em 1922, o último dos filhos da pradaria oitocentista, criado numa casa de fazenda feita de toros de madeira sem eletricidade e sem água corrente, e a comunidade rural em que ele vivia era tão isolada, habitada exclusivamente por imigrantes noruegueses e seus descendentes, que nos seus primeiros anos de vida boa parte do tempo ele falava norueguês e não inglês, de modo que manteve um sotaque até a velhice: não tão pesado quanto o da sua sogra, porém com um toque musical suave, um inglês americano falado de uma maneira que você nunca ouvira antes, e que sempre parecia agradável aos seus ouvidos. Depois da longa interrupção causada pela guerra, ele fez faculdade graças à G.I. Bill,* fez pós-graduação e ganhou uma bolsa Fulbright que lhe permitiu estudar por um ano na Universidade de Oslo (onde ele conheceu sua futura mulher), e terminou se tornando professor de língua e literatura norueguesas. Sua mulher, portanto, foi criada numa família norueguesa, embora morasse em Minnesota, e assim a ceia de Natal era comemorada segundo padrões inteiramente noruegueses. Na verdade, era uma repetição das ceias de Natal das quais sua sogra havia participado, no sul da Noruega quando criança, nos anos 20 e 30, uma época muito diferente da nossa atual era de opulência e abundância, com supermercados onde estão à venda duzentos tipos de cereais para o café da manhã e oitenta e quatro

---

* Lei aprovada em 1944 que concedia aos ex-combatentes uma série de privilégios, entre eles bolsas de estudos para cursar o ensino superior. (N. T.)

sabores de sorvete. A refeição jamais variava, e no decorrer de vinte e três anos nenhum prato foi acrescentado ao cardápio, nem dele foi retirado. Nada de peru, ganso nem presunto como prato principal, e sim costelas de porco, cobertas com um pouco de sal e pimenta, levadas ao forno e servidas sem molhos nem condimentos. Como acompanhamento, batatas cozidas, couve--flor, repolho roxo, couve-de-bruxelas, cenouras e arandos vermelhos, e pudim de arroz como sobremesa. Não poderia haver uma refeição mais simples do que essa, mais destoante do que hoje se considera nos Estados Unidos uma ceia de Natal, e no entanto, quando você perguntou aos seus sobrinhos mais novos uns dois anos atrás (a tradição ainda continua em Nova York) se eles preferiam a ceia de Natal de sempre ou se gostariam de fazer alguma mudança, todos exclamaram: "Não muda nada!". Essa comida é ritual, é continuidade, é coesão familiar — uma âncora simbólica que impede que os indivíduos sejam arrastados para o mar. Foi para essa tribo que você entrou ao se casar. Quando tinha por volta de quinze anos, sua filha, que é espirituosa, inventou uma expressão para rotular sua origem étnica: "judieguesa". Você acha pouco provável que existam muitas pessoas com esse tipo de identidade mista, mas afinal de contas, estamos nos Estados Unidos, e é isto mesmo: você e a sua mulher são os pais de uma judieguesa.

As comidas que você adorava quando menino, desde o tempo das suas lembranças mais antigas até o limiar da puberdade, você fica a imaginar quantos milhares de garfadas e colheradas terão entrado em você, quantas vezes você mordeu e engoliu, quantos goles pequenos e grandes, a começar com os milhares de sucos de fruta que você tomou em diferentes horas do dia, suco de laranja de manhã, mas também maçã e grapefruit e tomate e abacaxi, suco de abacaxi servido num copo mas também congelado, em fôrmas de gelo, no verão, que você e sua irmã chamavam de "abacaxi em cubos", juntamente com os refrigerantes, sempre que isso era permitido (Coca-Cola, *root beer*, ginger ale, 7 Up, Crush laranja), e os milk-shakes que você amava, principalmente de chocolate, mas às vezes de baunilha para variar, ou uma combinação dos dois, conhecida como preto-e-branco, e então, no verão, o delírio do *root beer float*, tradicionalmente feito com sorvete de baunilha, mas que você achava ainda mais delicioso quando o sabor do sorvete era café. De manhã, você começava com cereal (Corn Flakes, Rice Krispies, Shredded Wheat, Puffed Wheat, Puffed Rice, Cheerios — o que estivesse na despensa), você colocava o cereal numa tigela, acrescentava leite e depois uma colher de sobremesa (ou duas) de açúcar refinado branco. Depois, uma porção de ovos (normalmente mexidos, mas de vez em quando estrelados ou quentes) e duas torradas com manteiga (pão branco, integral ou de centeio), muitas vezes acompanhadas de bacon, presunto ou salsichas, ou então um prato de rabanadas (com xarope de bordo), ou, raramente, mas sempre mais desejada, uma pilha de panquecas (também com xarope de bordo). Algumas horas depois, no almoço, pedaços de carne entre duas fatias de pão — presunto ou salame, *corned beef* ou mortadela, às vezes presunto e também queijo fundido, às vezes só queijo, ou então um dos sanduíches de atum que sua mãe fazia tão bem. Nos dias frios, dias de inverno como hoje, o sanduíche era muitas vezes servido depois de um prato de sopa, que no início dos anos 50 era sempre enlatada, sendo as suas prediletas a de frango com macarrão da Campbell's e a de tomate também da Campbell's, certamente os sabores prediletos de todas as crianças americanas da época. Hambúrgueres e cachorros-quentes, batatas fritas ou batatas *chips*: iguarias provadas uma vez por semana na lanchonete do bairro, a Cricklewood, onde você e seus colegas da escola almoçavam juntos todas as quintas-feiras. (Na escola primária onde você estudou não havia refeitório. Todos iam almoçar em casa, mas a partir dos seus dez anos de idade a sua mãe e as mães de seus amigos passaram a permitir esta extravagância: hambúrgueres e/ou cachorros-quentes na Cricklewood todas as quintas-feiras, uma refeição que custava nada menos que vinte e cinco ou trinta centavos.) O jantar era melhor quando o prato principal era costeleta de carneiro, mas a carne assada ocupava o segundo lugar, seguida, não necessariamente nesta ordem, por frango frito, frango assado, carne ensopada, estufado, espaguete com almôndegas, *sauté* de fígado e filé de peixe frito com muito ketchup. Batata não podia faltar, e qualquer que fosse o modo de preparo (as mais comuns eram ao forno e purê), sempre proporcionava uma satisfação profunda. Milho na espiga era o melhor de todos os legumes, mas esse prazer era restrito aos últimos meses do verão, e assim você devorava com avidez as ervilhas, ou ervilhas com cenouras, ou vagens, ou beterrabas, que encontrasse no seu prato. Pipoca, pistache, amendoim, marshmallow, pilhas de biscoitos salgados com geleia de uva, e as comidas congeladas que começaram a surgir no final da sua infância, principalmente torta de frango e o bolo inglês da marca Sara Lee. Você perdeu quase por completo o gosto por doces a essa altura da vida, mas quando relembra os dias mais remotos da sua infância, fica pasmo ao se dar conta da quantidade de coisas açucaradas que você desejava e devorava. Sorvete acima de tudo, pois seu apetite por sorvete era insaciável, fosse servido puro numa tigela ou coberto com calda de chocolate, fosse em forma de sundae ou picolé (as marcas eram Good Humor e Creamsicles), bem como dentro de esferas (Bon Bons), retângulos (Eskimo Pies) e cúpulas (*baked alaska*). O sorvete era o tabaco da sua juventude, o vício que se insinuava na sua alma e o seduzia vez após vez com seus encantos, mas você também tinha um fraco por bolo (bolo de chocolate! bolo de clara de ovo!) e por qualquer tipo de biscoito doce, *vanilla fingers* e Burry's Double Dip Chocolate, Fig Newtons e Mallomars, Oreo e Social Tea Biscuits, para não falar nas centenas ou milhares de doces que você consumiu até os doze anos: Milky Way, 3 Musketeers, Chunky, Charleston Chew, York Mints, Junior Mints, Mars, Snickers, Baby Ruths, Milk Duds, Chuckles, Goobers, Dots, Jujubes, Sugar Daddy e só Deus sabe o que mais. Como é possível que você tenha conseguido permanecer magro durante os anos em que ingeria tanto açúcar? Como foi que seu corpo continuou crescendo para cima e não para os lados à medida que você se aproximava da adolescência? Felizmente, tudo isso ficou para trás, mas de vez em quando, talvez uma vez a cada dois ou três anos, quando você está sem ter o que fazer num aeroporto antes de um voo de longa duração (por algum motivo, isso só acontece em aeroportos), você entra numa loja de revistas para procurar um jornal e um desejo antiquíssimo às vezes o domina, e então você olha para as balas expostas junto à caixa registradora, e se por acaso se depara com as balas de goma Chuckles, você compra um pacote. Em menos de dez minutos as cinco balas já foram devoradas. A vermelha, a amarela, a verde, a laranja e a preta.

Joubert: "O fim da vida é amargo". Menos de um ano após escrever essas palavras, aos sessenta e um anos, o que em 1815 certamente era uma idade bem mais avançada do que hoje, ele fez uma anotação diferente, e bem mais desafiadora, a respeito do final da vida: "Há que morrer adorável (se possível)". Você se comove ao ler essa frase, especialmente as palavras entre parênteses, que demonstram uma rara sensibilidade de espírito, no seu entender, uma compreensão, adquirida a duras penas, do quanto é difícil ser adorável, especialmente quando se é velho, quando se está tornando decrépito, dando trabalho aos outros. *Se possível*. Provavelmente não há maior realização humana do que ser adorável ao final da vida, quer o fim seja amargo ou não. Sujando o leito de morte de mijo, merda e baba. Todos nós caminhamos para lá, você diz a si próprio, e a questão é até que ponto uma pessoa pode permanecer humana apegando-se à vida num estado de impotência e degradação. Você não pode prever o que vai acontecer quando chegar o dia de se deitar na cama pela última vez, mas na hipótese de não ser tomado de súbito, tal como foram seus pais, você quer ser adorável. *Se possível.*

Você não deve deixar de mencionar que quase morreu engasgado com uma espinha de peixe em 1971, e que você por um triz não se matou num corredor escuro numa noite em 2006, quando bateu com a testa na verga baixa de uma porta, caiu para trás e então, tentando recuperar o equilíbrio, jogou-se para frente, prendeu o pé na soleira e caiu de cara no chão do apartamento no qual você havia entrado, e sua cabeça passou a poucos centímetros de um pé de mesa grosso. Todos os dias, em todos os países do mundo, pessoas morrem em tombos como esse. O tio do seu amigo, por exemplo, o mesmo homem a respeito do qual você escreveu dezenove anos atrás (*O caderno vermelho*, história nº 3), que sobreviveu a tiros e a inúmeros perigos atuando na resistência contra os nazistas durante a Segunda Guerra Mundial, um jovem que conseguiu escapar da morte e/ou da mutilação praticamente certas com uma regularidade espantosa, e então, tendo se mudado para Chicago após a guerra, vivendo na tranquilidade dos Estados Unidos em tempos de paz, longe dos campos de batalha e das balas e dos campos minados da juventude, uma noite levantou-se para ir ao banheiro, tropeçou num móvel na sala escura e morreu quando sua cabeça chocou-se com um pé de mesa grosso. Uma morte absurda, uma morte sem sentido, uma morte que poderia ter sido sua também cinco anos atrás se a sua cabeça tivesse caído um pouco mais para a esquerda, e quando você pensa nas maneiras ridículas como as pessoas encontram a morte — rolando escadas abaixo, caindo de escadas de mão, afogando-se, atropeladas, atingidas por balas perdidas, eletrocutadas por rádios que caem dentro de banheiras — você é obrigado a concluir que em toda vida há vários momentos em que se escapa da morte por um triz, que todo aquele que consegue chegar à idade que você atingiu já escapou de um certo número de mortes potencialmente absurdas e sem sentido. Tudo isso no decorrer daquilo a que você daria o nome de *vida comum*. E, é claro, milhões de outras pessoas passaram por coisa bem pior, não tiveram a sorte de viver uma vida comum — soldados em combate, por exemplo, civis vitimados em guerras, vítimas assassinadas por governos totalitários, e a infinidade de gente que morreu em desastres naturais: enchentes, terremotos, tufões, epidemias. Mas mesmo aqueles que conseguem sobreviver a catástrofes estão tão expostos aos caprichos da vida cotidiana quanto aqueles que foram poupados desses horrores — como foi o caso do tio do seu amigo, que escapou da morte no campo de batalha e morreu uma noite num apartamento em Chicago a caminho do banheiro. Em 1971, uma espinha de peixe prendeu-se no fundo da sua garganta. Você estava comendo o que imaginava ser filé de halibute, e por isso não estava preocupado com as espinhas, mas de repente começou a sentir dor ao engolir, havia alguma coisa *lá dentro*, e nenhum dos métodos tradicionais adiantou nada: beber água, comer pão, tentar extrair a espinha com os dedos. Ela havia descido para o fundo da garganta, e era comprida e grossa o bastante para perfurar a pele de ambos os lados, e cada vez que você fazia mais uma tentativa de expeli-la tossindo, sua saliva vinha misturada com sangue. Era abril ou maio, você estava morando em Paris havia dois meses ou dois meses e meio, e quando ficou claro que não ia conseguir se livrar da espinha sozinho, você e a sua namorada saíram do apartamento na Rue Jacques Mawas e foram a pé até o hospital mais próximo do bairro, o Hospital Boucicaut. Eram oito ou nove da noite, e as enfermeiras não sabiam o que fazer com você. Esguicharam um líquido anestesiante na sua garganta, conversaram com você, riram, mas a espinha presa continuava inacessível e não podia ser extraída. Por fim, por volta das onze horas, o médico de plantão chegou, um jovem chamado Meyer, mais um israelita nesse bairro onde outrora havia morado o afinador de piano cego, e veja só, este jovem médico, que seria no máximo quatro ou cinco anos mais velho do que você, era por acaso um otorrinolaringologista. Depois que você cuspiu um pouco de sangue para ele ver durante um exame preliminar, o médico lhe disse para segui-lo, atravessando o pátio, em direção a seu consultório particular num dos outros pavilhões do hospital. Você sentou-se numa cadeira, ele sentou-se em outra e abriu um estojo grande de couro com trinta ou quarenta pinças, um impressionante arsenal de instrumentos prateados reluzentes, pinças de todos os tamanhos e configurações, algumas com as pontas retas, outras com as pontas curvas, outras com ganchos nas pontas, outras com pontas retorcidas, outras com pontas em espiral, umas curtas, umas longas, umas tão complexas e estranhas que você não poderia imaginar como uma coisa daquelas haveria de entrar na garganta de uma pessoa. O médico mandou-o abrir a boca e, uma por uma, delicadamente enfiou diversas pinças na sua garganta — tão fundo que você engasgava e cuspia mais sangue cada vez que ele retirava uma pinça. Paciência, dizia ele, paciência, nós vamos conseguir, e então, na décima quinta tentativa, usando uma das maiores de todas as pinças, com um gancho grotescamente exagerado em forma de cimitarra na ponta, ele finalmente conseguiu chegar até a espinha, segurá-la com força, puxá-la de um lado para o outro a fim de retirar as pontas que estavam cravadas na sua carne, e lentamente foi puxando-a para cima pelo túnel da sua garganta, até ela sair pela boca. Ele parecia ao mesmo tempo satisfeito e espantado. Satisfeito por ter conseguido, mas espantado com o tamanho da espinha, que teria uns oito ou dez centímetros de comprimento. Você também ficou espantado. Como foi que você conseguiu engolir uma coisa tão grande?, era o que você perguntava a si próprio. Parecia uma agulha de costura de esquimó, uma barbatana de espartilho, um dardo envenenado. "Você teve sorte", disse o dr. Meyer, ainda olhando para a espinha, que ele segurava à frente do rosto. "Isso aqui podia tranquilamente tê-lo matado."

Não tem nevado muito desde a noite de 1º de fevereiro, mas o mês foi todo frio, com pouco sol, muito vento, você fechado no quarto o dia todo escrevendo este diário, esta viagem inverno adentro, já agora entrando em março, ainda frio, ainda frio como o frio do inverno de janeiro e fevereiro, e no entanto, todas as manhãs agora você sai de casa para perscrutar o jardim, procurando algum sinal de cor, a minúscula ponta de uma folha de croco a brotar da terra, a primeira pincelada de amarelo no arbusto de forsítia, mas até agora nada, a primavera vai demorar para chegar este ano, e você fica a imaginar quantas semanas ainda terá de esperar para que possa começar a procurar o primeiro tordo.

Os dançarinos salvaram você. Foram eles que o trouxeram de volta à vida naquela noite de dezembro de 1978, que tornaram possível para você vivenciar o *momento escaldante e epifâ-*

nico de clareza que o fez atravessar uma fenda no universo e lhe permitiu recomeçar. Corpos em movimento, corpos no espaço, corpos saltando e volteando pelo espaço livre e vazio, oito dançarinos no ginásio de um colégio em Manhattan, quatro homens e quatro mulheres, todos jovens, oito dançarinos de vinte e poucos anos, e você sentado na arquibancada com pouco mais de dez conhecidos da coreógrafa para ver o ensaio aberto de sua nova criação. Você tinha sido convidado por David Reed, um pintor com quem fizera amizade no navio de estudantes que o levou à Europa em 1965, agora seu amigo mais antigo em Nova York, o qual o chamou por estar namorando a coreógrafa, Nina W., uma mulher que você não conhecia bem e que acabou namorando David não por muito tempo, mas, se você não está distorcendo os fatos, ela começou a dançar na companhia de Merce Cunningham, e agora que passara a se dedicar à coreografia, seu trabalho tinha alguma semelhança com o de Cunningham: musculoso, imprevisível. Era o momento mais deprimente da sua vida. Você estava com trinta e um anos, seu primeiro casamento acabava de chegar ao fim, você estava com um filho de um ano e meio e sem emprego regular, sem dinheiro, vivendo mal e porcamente como tradutor freelance, havendo publicado três livrinhos de poesia que teriam sido lidos no máximo por cem pessoas no mundo, incrementando essa renda parca com resenhas publicadas na *Harper's*, na *New York Review of Books* e em outras revistas, e fora um romance policial que você escrevera sob pseudônimo no verão anterior, na tentativa de ganhar um dinheiro extra (e que ainda não encontrara editora), o seu trabalho estava num beco sem saída, você se sentia imobilizado e confuso, não escrevia havia mais de um ano e aos poucos estava se dando conta de que nunca mais conseguiria voltar a escrever. Era essa a situação em que você se encontrava naquela noite de inverno mais de trinta e dois anos atrás, quando você entrou no ginásio daquele colégio para assistir a um ensaio aberto da nova obra de Nina W. Você não entendia nada de dança, até hoje não entende nada, mas sempre que vê gente dançando bem sente uma intensa felicidade interior, e ao sentar-se ao lado de David você não fazia ideia do que ia ver, pois naquele momento o trabalho de Nina W. era completamente desconhecido para você. Diante da pequena plateia, a coreógrafa explicava que o ensaio seria dividido em duas partes que se alternariam: demonstrações dos principais movimentos da peça executados pelos dançarinos e comentários verbais feitos por ela. Em seguida, afastou-se para que os dançarinos começassem a movimentar-se. A primeira coisa que chamou sua atenção foi o fato de que não havia acompanhamento musical. Você jamais havia pensado nessa possibilidade — dançar no silêncio, sem música — pois sempre achara que a música era essencial para a dança, inseparável da dança, porque ela não apenas determina o ritmo e a velocidade do desempenho dos dançarinos, mas também estabelece o tom emocional para o espectador, dando coerência narrativa a algo que, sem ela, se tornaria inteiramente abstrato, porém, ali, o corpo dos dançarinos é que era responsável pelo estabelecimento do ritmo e do tom da peça, e, à medida que você foi se entregando ao espetáculo, a ausência de música começou a lhe parecer revigorante, pois os dançarinos estavam ouvindo a música na cabeça, ouvindo os ritmos na cabeça, ouvindo o que não podia ser ouvido, e como esses oito jovens dançavam bem, eram excelentes dançarinos, na verdade, não demorou para que você também começasse a ouvir esses ritmos na sua cabeça. Não havia sons, além do ruído dos pés descalços no chão de madeira do ginásio. Você não lembra os detalhes dos movimentos deles, mas na sua mente vê corpos rolando e girando, caindo e deslizando, braços se agitando e braços descendo até o chão, pernas se esticando para a frente e correndo, corpos se tocando e depois se afastando, e você ficou impressionado com a graça e o atletismo dos dançarinos, a simples visão daqueles corpos em movimento parecia levá-lo para um lugar dentro de si próprio jamais explorado, e pouco a pouco começou a sentir algo subindo dentro de si, o júbilo elevando-se em seu corpo e chegando à sua cabeça, um júbilo físico que era também mental, um júbilo crescente que se espalhava continuamente por todas as partes do seu corpo. Então, depois de seis ou sete minutos, os dançarinos pararam. Nina W. veio explicar para a plateia o que acabara de ser visto, e quanto mais ela falava, quanto mais tentava com ênfase e paixão exprimir em palavras os movimentos e padrões da dança, menos você a entendia. Não porque ela estivesse usando termos técnicos que lhe fossem desconhecidos, e sim por um motivo mais fundamental: porque suas palavras eram inteiramente inúteis, incapazes de exprimir o espetáculo sem palavras que você acabara de ver, pois não havia palavras que pudessem transmitir, na sua inteireza e fisicalidade brutal, o que os dançarinos haviam feito. Então ela afastou-se, e os dançarinos voltaram a dançar, imediatamente lhe proporcionando a mesma sensação de júbilo que você sentira antes. Cinco ou seis minutos depois, novamente eles pararam, e mais uma vez Nina W. veio dar suas explicações, e mais uma vez não conseguiu captar um centésimo da beleza que você tinha visto, e assim a coisa continuou alternadamente por uma hora, os dançarinos e a coreógrafa, corpos em movimento seguidos por palavras, beleza seguida por um ruído sem sentido, júbilo seguido por tédio, e a certa altura alguma coisa começou a se abrir dentro de você, você deu por si caindo pela fenda entre o mundo e a palavra, o abismo que separa a vida humana da nossa capacidade de compreender ou exprimir a verdade da vida humana, e por motivos que até hoje lhe escapam, essa súbita queda e o ar vazio e ilimitado lhe proporcionaram uma sensação de liberdade e felicidade, de modo que quando terminou o espetáculo você não se sentia mais bloqueado, não se sentia mais onerado pelas dúvidas que havia um ano pesavam sobre seus ombros. Você voltou para casa no condado de Dutchess, foi para o escritório onde dormia desde que seu casamento chegara ao fim e no dia seguinte começou a escrever, por três semanas você trabalhou num texto de gênero indefinível, nem poema nem narrativa em prosa, tentando descrever o que você vira e sentira ao assistir aos dançarinos dançando e à coreógrafa falando naquele colégio em Manhattan, escrevendo muitas páginas de início, e depois reduzindo-as a oito, o primeiro trabalho da sua segunda encarnação como escritor, a ponte que levou a tudo que você escreveu desde então, e você lembra que terminou o texto durante uma nevasca bem tarde numa noite de sábado, às duas da madrugada, você era a única pessoa acordada na casa silenciosa, e o mais terrível daquela noite, a coisa que até agora continua a atormentá-lo, é que no momento em que você estava terminando o texto, que acabou intitulando *White spaces* [Espaços brancos], seu pai estava morrendo nos braços da namorada. A trigonometria macabra do destino. No momento exato em que você estava voltando à vida, a vida do seu pai chegava ao fim.

Para fazer o que você faz, é necessário caminhar. São as caminhadas que trazem as palavras até você, que lhe permitem ouvir os ritmos das palavras à medida que as vai escrevendo mentalmente. Um pé para a frente, depois o outro, a batida dupla do coração. Dois olhos, dois ouvidos, dois braços, duas pernas, dois pés. Isso, depois aquilo. Aquilo, depois disso. A escrita começa no corpo, é a música do corpo, e ainda que as palavras tenham sentido, ainda que possam às vezes ter sentido, a música das palavras é onde os sentidos começam. Você se instala à sua escrivaninha a fim de escrever as palavras, mas na sua cabeça você continua andando, sempre andando, e o que você ouve é o ritmo do seu coração, o bater do seu coração. Mandelstam: "Eu me pergunto quantos pares de sandálias Dante terá gasto enquanto escrevia a *Commedia*". A escrita como uma forma menor de dança.

Ao catalogar as suas viagens setenta e oito páginas atrás, você se esqueceu de mencionar as viagens do Brooklyn para Manhattan e vice-versa, vinte e um anos de viagens dentro da sua própria cidade desde que você se mudou para o condado de Kings em 1980, uma média de duas ou três vezes por semana, o que daria um total de alguns milhares de viagens, muitas delas subterrâneas, via metrô, mas muitas outras passando pela Brooklyn Bridge em carros e táxis, mil travessias, duas mil, cinco mil travessias, é impossível calcular quantas, mas sem dúvida é a viagem que você mais fez em toda a sua vida, e todas as vezes você admirou a arquitetura da ponte, a fusão curiosa, porém perfeitamente satisfatória, do velho com o novo que distingue esta ponte de todas as outras, a pedra espessa dos arcos góticos medievais que contrastam, e no entanto se harmonizam, com a delicada teia de aranha dos cabos de aço, a ponte que já foi a mais elevada estrutura feita pelo homem na América do Norte, e antes da passagem daqueles assassinos suicidas por Nova York você sempre preferia a viagem de ida do Brooklyn a Manhattan, aguardando com expectativa o ponto exato do qual você podia ver ao mesmo tempo a Estátua da Liberdade no porto à esquerda e os prédios do centro da cidade à sua frente, os edifícios imensos que de repente apareciam, entre eles as Torres, é claro, as Torres não exatamente belas que aos poucos foram se tornando parte conhecida da paisagem, e muito embora você ainda admire os prédios sempre que se aproxima de Manhattan, agora que as Torres foram derrubadas você não consegue mais fazer essa viagem sem pensar nos mortos, sem lembrar da cena das Torres pegando fogo vista da janela do quarto da sua filha no andar de cima da sua casa, sem lembrar da fumaça e das cinzas que caíram nas ruas do seu bairro durante os três dias que se seguiram ao ataque, e o fedor amargo, irrespirável, que o obrigou a fechar todas as janelas da sua casa até que os ventos finalmente pararam de soprar em direção ao Brooklyn na sexta-feira, e muito embora você continue a atravessar a ponte duas ou três vezes por semana, nos nove anos e meio que se passaram desde aquele dia, a viagem não é mais a mesma, os mortos continuam lá, e as Torres também continuam lá — pulsando na memória, ainda presentes como um buraco vazio no céu.

Você já ouviu os mortos chamá-lo — mas apenas uma vez, uma vez em todos os seus anos de vida. Você não é o tipo de pessoa que vê coisas que não existem, e embora muitas vezes se sinta confuso diante do que está vendo, não costuma ter alucinações nem sofrer alterações fantásticas da realidade. O mesmo em relação à sua audição. De vez em quando, numa das suas caminhadas pela cidade, você julga ouvir alguém a chamá-lo, julga ouvir a voz da sua mulher ou da sua filha ou do seu filho chamando-o do outro lado da rua, mas quando se vira para olhar é sempre outra pessoa dizendo *Paul* ou *pai* ou *papai*. Há vinte anos, porém, talvez vinte e cinco anos, em circunstâncias muito diferentes do fluxo do seu cotidiano, você teve uma alucinação auditiva que até hoje o deixa perplexo, uma experiência vívida e poderosa, vozes ouvidas num volume intenso, muito embora o coral de mortos tenha gritado dentro de você por apenas cinco ou dez segundos. Você estava na Alemanha, passando o fim de semana em Hamburgo, e na manhã de domingo o seu amigo Michael Naumann, que era também o seu editor na Alemanha, propôs uma ida a Bergen-Belsen — ou melhor, o lugar onde outrora ficava Bergen-Belsen. Você aceitou a sugestão, ainda que sentisse certa relutância, e ainda se lembra da viagem de carro até lá, na *autobahn* quase deserta naquela manhã nublada de domingo, um céu cinzento estendendo-se sobre quilômetros e quilômetros de terra plana, lembra-se de ter visto um carro que havia batido numa árvore à beira da estrada e o cadáver do motorista na grama, um corpo tão inerte e retorcido que você percebeu na mesma hora que o homem estava morto, e lá estava você, dentro do carro, pensando em Anne Frank e na irmã dela, Margot, que morreram em Bergen-Belsen, juntamente com dezenas de milhares de outras pessoas, os milhares e milhares de pessoas que morreram lá de tifo e de fome, de surras aleatórias, de assassinato. As dezenas de filmes e documentários que você já vira a respeito dos campos de extermínio estavam passando dentro da sua cabeça, ali no banco do carona daquele carro, e à medida que o carro se aproximava de seu destino você foi ficando cada vez mais angustiado e calado. Do campo de extermínio não restava mais nada. Os prédios haviam sido derrubados, os alojamentos haviam sido desmontados e levados, as cercas de arame farpado tinham desaparecido, só havia agora um pequeno museu, um prédio de um andar cheio de fotografias em preto e branco, do tamanho de cartazes, com legendas explicativas, um lugar deprimente, um lugar horroroso, porém tão nu e asséptico que era difícil imaginar a realidade daquele campo durante a guerra. Você não conseguia sentir a presença dos mortos, o horror de milhares de pessoas amontoadas naquela aldeia de pesadelo cercada por arame farpado, e caminhando pelo museu com Michael (na sua lembrança, só vocês dois estavam ali), pareceu-lhe que deviam ter deixado o campo intacto para que o mundo pudesse ver como era a arquitetura da barbárie. Então vocês saíram, caminhando pelo terreno onde outrora ficava o campo de extermínio, mas que agora é um gramado, uma bela extensão de grama bem cuidada de centenas de metros quadrados para todas as direções, e se não fossem as diversas placas espetadas no chão indicando onde antes ficavam os alojamentos e outros prédios, não haveria como adivinhar o que se passara ali algumas décadas antes. Por fim você chegou a um trecho de grama um pouco mais alto, uma elevação de alguns centímetros, um retângulo perfeito com um lado de seis metros e outro de nove, mais ou menos, do tamanho de uma sala grande, e num canto havia uma placa no chão onde se lia: "Aqui jaz o corpo de cinquenta mil soldados russos". Você estava pisando na sepultura de cinquenta mil homens. Não parecia possível que tantos cadáveres coubessem num espaço tão pequeno, e quando você tentou imaginar aqueles corpos debaixo de você, os cadáveres entrelaçados de cinquenta mil jovens enfiados num buraco que deveria ser profundíssimo, a ideia de tantas mortes começou a deixá-lo tonto, tantas mortes concentradas num pedaço de terra tão pequeno, e no instante seguinte você ouviu os gritos, uma tremenda explosão de vozes elevou-se do chão debaixo de você, você ouviu os ossos dos mortos urrando de angústia, de dor, urrando a plenos pulmões, um bramido ensurdecedor. *A terra estava gritando*. Por cinco ou dez segundos você os ouviu, e então eles se calaram.

As conversas com seu pai em sonhos. Há anos que ele visita você num quarto escuro do outro lado da consciência, ele está sentado com você em torno de uma mesa e vocês têm longas conversas, ele está sempre calmo e circunspecto, sempre a tratá-lo de modo simpático, sempre ouvindo com atenção o que você lhe diz, mas depois que o sonho termina e você acorda não fica na sua memória uma única palavra que vocês disseram.

Espirrar e rir, bocejar e chorar, arrotar e tossir, coçar as orelhas, esfregar os olhos, assoar o nariz, pigarrear, morder os lábios, passar a língua pelos dentes da arcada inferior, estremecer, peidar, soluçar, enxugar o suor da testa, passar as mãos pelo cabelo — quantas vezes você já fez essas coisas? Quantas vezes deu topadas, esmagou os dedos, deu cabeçadas? Quantas vezes tropeçou, escorregou e caiu? Quantas vezes piscou? Quantos passos deu? Quantas horas passou com a caneta na mão? Quantos beijos deu e recebeu?

Segurar os seus filhos pequenos nos braços.

Segurar sua mulher nos braços.

Seus pés descalços no assoalho frio quando você se levanta da cama e anda até a janela. Você tem sessenta e quatro anos. Lá fora o ar está cinzento, quase branco, e não há sol à vista. Você se pergunta: quantas manhãs ainda restam?

Uma porta se fechou. Outra porta se abriu.

Você entrou no inverno da vida.

2011

1ª EDIÇÃO [2014] 1 reimpressão

ESTA OBRA FOI COMPOSTA POR OSMANE GARCIA FILHO EM MINION E
IMPRESSA PELA GEOGRÁFICA EM OFSETE SOBRE PAPEL PÓLEN SOFT
DA SUZANO PAPEL E CELULOSE PARA A EDITORA SCHWARCZ
EM MARÇO DE 2015